OPERATION JULIE

Operation Julie

LYN EBENEZER

yl Lolfa

ISBN: 978 184771025 3

Mae'r cynllun Stori Sydyn yn fenter ar y cyd rhwng Sgiliau
Sylfaenol Cymru a Chyngor Llyfrau Cymru. Ariennir y
llyfrau gan Sgiliau Sylfaenol Cymru fel rhan o Strategaeth
Genedlaethol Sgiliau Sylfaenol Cymru ar ran Llywodraeth
Cynulliad Cymru.

Argaffwyd a chyhoeddwyd gan
Y Lolfa, Talybont, Ceredigion SY24 5AP.
gwefan www.ylolfa.com
e-bost ylolfa@ylolfa.com
ffôn 01970 832 304
ffacs 832782

CYNNWYS

CYFLWYNIAD

Nos Sul, 27 Mawrth 1977

ROEDD HI TUA CHWECH o'r gloch pan ganodd y ffôn. Jim Price oedd yno, ffrind oedd yn gweithio ar y *Daily Express* yng ngogledd Cymru.

'Wyt ti'n gwybod beth sy'n digwydd yn Tregaron?'

'Nac ydw. Pam?

'Mae criw o blismyn ar hyd y lle ac maen nhw'n arestio pobol.'

Ar unwaith, ffoniais ffrind arall – merch o Dregaron – a dyma honno'n dweud,

'Oes, mae rhywbeth mawr yn digwydd yn Tregaron. Heddlu yno ym mhobman. Ar ôl cyffuriau maen nhw. Dyna beth mae pobol yn ddweud, ta beth.'

Ffoniais nôl i'r gogledd a dweud hyn wrth Jim Price. Y peth cyntaf wnaeth e oedd neidio mewn i'w gar ac ymhen llai na dwy awr roedd wrth ddrws fy nhŷ yn Aberystwyth.

Yn Nhregaron roedd hi'n ferw gwyllt. Heddlu yn eu ceir ym mhobman. Pobol ar ben drysau eu tai ar Sgwâr Fawr a Sgwâr Fach y dref yn gwylio popeth, yr holl fynd a dod. Yr heddlu'n dweud dim a phawb yn barod iawn i siarad â Jim. Doedd Tregaron ddim wedi gweld y fath gyffro ers noson y Ffair y flwyddyn cynt.

Yn eu tro, cyrhaeddodd gohebwyr y papurau newydd a'r teledu, dynion camera, dynion sain, dynion goleuo a dynion yn dal meics o dan drwynau pobl Tregaron. A'r merched coesau hir mewn sgertiau bach mini'n gwneud nodiadau fel lladd nadredd. Roedd hi'n bedlam llwyr.

A'r heddlu yn dweud dim.

Dim ond ar brynhawn dydd Llun, 28 Mawrth 1977 y cawson ni, Jim Price a fi, Lyn Ebenezer, unrhyw wybodaeth beth oedd yn digwydd. Ymddangosodd nifer o bobol mewn llys barn yn Swindon. Ac o Swindon y dechreuon ni ddeall pa mor fawr a pha mor bwysig oedd y cyfan. Roedd yr heddlu wedi dod o hyd i'r farchnad gyffuriau fwyaf mewn hanes ac wedi creu twll mawr yn y farchnad honno.

Pwy oedd y bobol oedd yn gwneud y cyffuriau? Wel, pobol oedden nhw, yn byw fel hipis yn Nhregaron, Llanddewibrefi a Charno ond yn dod o Loegr. Am flynyddoedd roedden nhw wedi twyllo pawb eu bod yn gwneud dim byd ond mwynhau'r bywyd da. Mewn gwirionedd cemegwyr oedd rhai o'r bobol hyn ac eraill yn werthwyr. Roedden nhw wedi creu busnes cyffuriau mawr iawn, ac yn ei werthu dros Ewrop, draw yn America ac ar draws y byd. Yn y diwedd heddlu cudd Cymru, Lloegr a Ffrainc ddaliodd y bobol 'ma.

Pan mae pobol yn siarad am *Operation Julie* mae enw **Richard Kemp** bob amser yn codi. Mae'r LSD wnaeth e mor bur fel pan ddaeth yr heddlu o hyd i beth ohono adeg y Nadolig 1995, roedd e'n dal mor gryf a phur â'r dydd y gwnaeth Richard Kemp e yn 1977.

Heddiw, mae pobol yn Nhregaron a Llanddewibrefi yn dweud eu bod nhw'n gwybod popeth am y busnes cyffuriau 'ma cyn i'r arestio ddigwydd. Pawb yn nabod Richard Kemp. Yn nabod ei ffrindiau, bob un! Ac yn gwybod pwy oedd yr heddlu cudd hefyd!

'Dw i'n gwbod ble mae'r arian wedi'i guddio ar y mynydd,' bydd un yn dweud. Ac un arall yn ychwanegu ar unwaith,

'Dw i'n gwbod ble mae 'na ddigon o ddrygs wedi eu cuddio hefyd.' Yna, fe ddaw winc slei. Cyffwrdd y trwyn â blaen y bys. Gwên fach wedyn sy'n dweud does neb yn mynd i adael y gath mas o'r cwd.

'Richard Kemp, y boi LSD? Ei nabod e'n dda. Fe werthais i afr i'w gariad e unwaith.'

'Dick Lee, Special Branch! Fe welais i drwyddo fe'r noson gynta ddaeth e mewn i'r dafarn.'

'LSD? Rown i'n gwybod yn iawn beth oedd yn digwydd. Fe ges i gynnig LSD unwaith.'

'Credwch chi fi, dyw popeth ddim wedi dod mas eto am *Operation Julie*.'

Ac o'r holl sôn a'r siarad sy'n digwydd, dyna sydd agosaf at y gwir.

Na, dyw popeth am *Operation Julie* ddim wedi dod mas eto.

Dyma'r ffeithiau moel:

- Yr heddlu'n dod o hyd i chwe miliwn tab o LSD, y *stash* mwyaf o gyffuriau anghyfreithlon erioed.

- Roedd 11 Awdurdod Heddlu a 800 swyddog yn rhan o *Operation Julie*.

- Arestiwyd 120 o bobl ledled Prydain a Ffrainc.

- Daethon nhw o hyd i LSD gwerth £100 miliwn.

- Roedd dros £800,000 wedi ei guddio mewn cyfrifon banc yn y Swistir.

- Aeth 17 i'r carchar am gyfanswm o 170 mlynedd.

- Yn Llundain ac yng Ngharno, gwnaethon

nhw tua 60 miliwn o dabledi LSD gwerth £1 yr un. Wrth gwrs, o werthu'r tabledi drwy'r gadwyn, byddai'r tabledi'n werth hyd at £5 yr un ar y stryd.

Dyna grynodeb o *Operation Julie*.

Wrth gwrs, roedd blynyddoedd o waith ymchwilio gan yr heddlu cyn i hyn ddigwydd. A heddiw, 30 o flynyddoedd yn ddiweddarach, mae'r hanes yn dal yn gymysgedd o ffaith a ffantasi. Os clywch chi bobol yn siarad, mae bob amser lot o elastig yn y stori ac mae'n anodd credu popeth sy'n cael ei ddweud. Mae 'na ystadegau swyddogol. Ac mae'r rhain hyd yn oed yn anhygoel yn ôl safonau heddiw.

Nid maint y busnes cyffuriau sydd wedi synnu pobol cefn gwlad canolbarth Cymru, na'r ffaith fod y cyffuriau'n cael eu symud ar draws y byd. Beth sydd wedi synnu pawb yw fod y cyfan wedi bod yn digwydd o dan eu trwynau! Digon o LSD ar gyfer 90% o ddefnyddwyr Prydain a hanner poblogaeth y byd. A hwnnw wedi cael ei wneud a'i farchnata yng nghefn gwlad Tregaron a Charno. A'r busnes dosbarthu hefyd wedi digwydd yn yr un ardal. O dan drwynau pawb am gymaint o amser!

1. BYW YN Y WLAD

DDIWEDD Y 60AU Y dechreuodd pobol o ddinasoedd Lloegr ddod i fyw yn ardaloedd gwledig Cymru.

Y mewnfudwyr cyntaf

Roedd rhain yn dod o drefi mawr Lloegr ac am fyw y **Bywyd Da**. Byw eu breuddwydion oedden nhw, prynu tyddyn bach gyda digon o dir i dyfu llysiau a chadw ieir neu eifr. Bydden nhw'n ceisio osgoi prynu bwyd mewn siopau.

Dyma oedd breuddwyd **Richard Kemp** a **Christine Bott**, dau a gwrddodd yn y brifysgol yn Lerpwl yn 1965, y ddau'n astudio gwyddoniaeth. Pan welon nhw dyddyn bach Penlleinau yng Nghwm Blaencaron, Tregaron, roedden nhw'n gwybod eu bod wedi cyrraedd y nefoedd. Dechrau'r 70au oedd hi.

Roedd Christine Bott yn feddyg teulu. Ei diddordeb mawr hi oedd bridio geifr a thendio'r ardd. Richard aeth ati i adnewyddu'r tŷ, Penlleinau. Byddai hefyd yn teithio'n gyson rhwng Tregaron a Charno er mwyn ymweld â

Phlas Llysin, Carno.

Yn Plas Llysin, roedd Americanwr o'r enw **Paul Joseph Arnaboldi** yn byw. Un o New Jersey, UDA, oedd Arnaboldi, ac wedi prynu'r plas am £26,000 yn 1974. Ei stori e oedd iddo brynu'r lle i'w fam oedd yn byw yn Florida. Yno dros dro oedd e'n ysgrifennu cofiant i John F Kennedy. Roedd Arnaboldi wrth ei fodd gyda syniadau Brawdoliaeth y Cariad Tragwyddol ac yn aelod brwd. Roedd llawer ohonynt yn bobl grefyddol, yn caru byd natur ac yn ystyried *marijuana* ac *acid* yn sacramentau. Fel eraill yn y grŵp hwn, byddai'n cymryd LSD. Roedd e hefyd yn actio rhan Captain Bounty yn yr hysbyseb deledu ar gyfer y siocled Bounty. Bryd hynny, felly, roedd pobol yn nabod ei wyneb.

Math arall o fewnfudwyr – yr hipis

Pobl dinasoedd Lloegr oedd rhain hefyd, wedi blino ar fywyd y ddinas ac wedi cael llond bol ar y byd trefnus, parchus. Symudon nhw i'r wlad er mwyn byw'n hamddenol a breuddwydio am newid y byd.

Dewisodd rhai o'r hipis hyn fyw mewn tîpis, sef pabell yr un siâp â rhai'r Indiaid Cochion yn y ffilmiau cowbois. Setlodd rhai o'r hipis hyn yng Nghwm Du ger Llandeilo.

Roedd math arall o hipis, rhai oedd ddim

ond yn aros dros dro gan mai dilyn y gwyliau pop fydden nhw.

Roedd **Alston Frederick Hughes** yn hipi. **Smiles** i'w ffrindiau am ei fod yn gwenu trwy'r amser. Roedd mor hapus gyda'r enw Smiles fel iddo gael tatŵ o'r gair ar ei arddwrn. Un o Birmingham oedd Smiles, a symudodd yn 1973 i'r Glyn, Llanddewibrefi. Fe briododd a chael plentyn a setlo yn yr ardal.

Un arall o'r hipis oedd **Russell Spenceley** o Chatham. Roedd e wedi byw yn Reading ac yn Woodstock cyn symud i Maesycrugiau, ger Pencader. Rhedeg busnes tacsis oedd e. Roedd ei wraig Janine yn nyrs yn Ysbyty Allt-y-mynydd, Llanybydder. Yn wahanol i Smiles, roedd Russell Spenceley'n byw'n dawel a'i ddiddordeb e oedd bwyta bwyd da.

Roedd Smiles a Spenceley'r math o hipis oedd wedi symud i gefn gwlad ac yn byw mewn tai cyffredin yn yr ardal. Ond doedden nhw ddim yn mynd allan i weithio. Rhedeg eu busnesau bach eu hunain oedden nhw, yn grefftwyr, yn trwsio ceir, a rhai o'u ffrindiau yn gwneud mwclis neu ganhwyllau. Eto, roedd y ddau'n gwario arian fel dŵr.

Roedd pawb yn sôn am Smiles yn gwneud sioe fawr o dalu am gwrw i bawb yn y bar yn y New Inn neu'r Foelallt yn Llanddewibrefi.

Byddai'n tanio sigaréts â phapurau £5 ac yn rhoi anrhegion Nadolig i'r hen bobol. Roedd pawb yn ei hoffi ac yn cytuno ei fod e'n 'hen foi iawn'. Un tro, aeth gyda chriw o bobol leol i Rasys Caer. Mewn un ras roedd ceffyl o'r enw 'Cannabis' yn rhedeg. Pan waeddodd un o'r bwcis,

'*What price Cannabis?*' ateb Smiles oedd,

'*Five pounds an ounce in* Llanddewibrefi!'

Heb os roedd Smiles yn gymeriad ac wedi'i dderbyn yn yr ardal.

Un o ffrindiau agosaf Smiles oedd **Paul Healey**; pawb yn ei alw'n **Buzz**. Priododd Buzz â merch leol a chodi ei blant i siarad Cymraeg. Er mai ar ymyl y cylch cyffuriau roedd e, cafodd ei anfon i'r carchar fel y lleill. Pan ddaeth allan o'r carchar, daeth e nôl i'r ardal i fyw. Pan aeth un o'i ferched i'r ysgol leol, dywedodd y prifathro wrtho mai drwy gyfrwng y Gymraeg y byddai hi'n cael ei dysgu. Ymateb Buzz iddo oedd, 'Os na chaiff hi ei dysgu drwy'r Gymraeg, fi fydd y cyntaf i gwyno.'

Heddiw, mae'n anodd sylweddoli pa effaith gafodd y bobol hyn symudodd i mewn i gefn gwlad gorllewin Cymru ar eu hardaloedd. Un enghraifft yw'r gêm bêl-droed gyfeillgar gafodd ei threfnu yn Llanddewibrefi lle roedd pob aelod o'r ddau dîm yn hipis.

Mae llawer o storïau ffantastig yn dal i gael eu hadrodd, yn arbennig am Smiles. Un noson yn y Llew Du yn Llambed, roedd Smiles wedi yfed chwech neu saith potel o siampên, un ar ôl y llall a gadael y poteli gwag yn rhes ar y cownter. Dro arall roedd Smiles yn chwarae cardiau gyda dyn lleol yn hwyr un noson yn y New Inn. Gofynnodd y dyn lleol faint o'r gloch oedd hi. Synnodd Smiles fod dim wats ganddo. Fe dynnodd ei wats ei hun a'i rhoi iddo. Er mai wats ddigon cyffredin oedd hi, erbyn hyn, ar lafar gwlad, mae hi wedi tyfu i fod yn Rolex!

Mae storïau di-ben-draw am yr arian roedd Smiles yn ei gario yn ei bocedi. Symiau enfawr. Mae pobol yn sôn am y miloedd o bunnoedd roedd e'n eu cadw mewn bocs Corn Fflêcs yn ei gwpwrdd bwyd. O ble roedd y fath gyfoeth yn dod? Doedd neb yn gwybod. Roedd pawb eisiau gwybod ond doedd neb yn dweud dim yn gyhoeddus.

Dim ond 6 milltir o Landdewibrefi, cartref Smiles, roedd Richard Kemp a Christine Bott yn byw bywyd tawel. Fyddai neb yn dweud bod llawer o arian ganddyn nhw ond eto, roedden nhw'n rhoi arian tuag at Ŵyl Bop Glastonbury.

Y trydydd math o fewnfudwyr – yr iypis

Nid hipis oedd rhain na phobl y Bywyd Da.
Iypis oedden nhw, pobl ifanc broffesiynol
ansefydlog, yn symud o un swydd i'r llall. Llawer
mwy o arian ganddyn nhw na'r bobol leol.

Meddyg o Lundain oedd **Mark Tcharney**.
Graddiodd o Brifysgol Caergrawnt ac wedyn
teithiodd i Wlad Groeg a Gogledd Affrica. Yna,
daeth i gefn gwlad Cymru. Cafodd waith fel
locum yn ardal Llambed a gweld ei nefoedd
ar y ddaear, sef bwthyn Esgair Wen yn agos i
Cwm-ann. Daeth â'i gariad, Hilary Rees, gyda
fe. Roedd hi hefyd yn feddyg. Hyd heddiw, mae
pobol yn canmol Mark Tcharney fel meddyg.

Do, fe ddaeth llawer o gymeriadau rhyfedd
a gwahanol i fyw yng ngorllewin Cymru yn
y 70au. Llawer ohonyn nhw â rhyw gyswllt â
chyffuriau.

Y cymeriad mwyaf lliwgar ohonyn nhw i gyd
oedd **David Litvinoff**.

17

2. DAVID LITVINOFF
A BYD POP Y 60AU

DAETH **DAVID LITVINOFF** I Landdewibrefi er mwyn
bod mor bell â phosibl o Lundain a chrafangau'r
Brodyr Kray, Ronnie, Reggie a Charlie, gangsters
mwyaf enwog Llundain yn y 50au a'r 60au.
Daeth i Landdewibrefi i fyw mewn tŷ ar lan
afon Teifi o'r enw Cefn Bedd. Roedd e wedi
cweryla gyda gang y Krays a doedd dim llawer
o bobol yn byw ar ôl anghytuno gyda nhw.
Roedd Litvinoff yn un o'r rhai ffodus. Ffodd
mewn pryd a dod i Gymru.

Dyma'r stori. Cwerylodd Litvinoff a Ronnie
Kray dros ryw achos neu gilydd – y rheswm yn ôl
rhai oedd cyffuriau, eraill yn dweud mai am fod
Litvinoff a Ronnie Kray yn hoyw y gwnaethon
nhw ddadlau. Y stori oedd fod Litvinoff wedi
dwyn un o'r bechgyn ifanc oedd yn gariad i
Ronnie. Beth bynnag ddigwyddodd, roedd wedi
pechu'n ofnadwy yn erbyn Ronnie.

Doedd ond un peth amdani sef ffoi o
Lundain allan o grafangau'r Krays. Ond ddim
cyn i Ronnie hongian Litvinoff wrth ei draed

o falconi ei fflat yn Llundain a hollti ei wyneb yn agored o glust i glust â chleddyf. Ar y stryd, roedd protest gwrth-niwclear yn cerdded drwy ganol Llundain. Fel roedd Litvinoff yn hongian ben i waered â'i waed yn diferu dros ei ên, roedd e'n gallu clywed y dorf yn mynd heibio'n canu 'Corrina, Corrina'.

Daeth pobol enwog y byd pop i dŷ Litvinoff yn Llanddewibrefi: Mick Jagger, aelodau eraill y Rolling Stones, Jimi Hendrix ac Eric Clapton.

Roedd Eric Clapton yn rhentu bwthyn yn ymyl Litvinoff.

Un tro, dywedodd Litvinoff wrth y *Cambrian News* fod 'Duw' wedi bod yn byw gerllaw. Doedd gohebydd y *Cambrian News* ddim wedi deall mai 'Duw' oedd llysenw Eric Clapton. Ac mae hi bron yn sicr fod neb llai na Bob Dylan wedi aros gyda Litvinoff am chwe wythnos yn ystod haf 1969 ar ôl iddo fod yn yr Ŵyl Bop yn Ynys Wyth (Isle of Wight).

Er nad yw hunangofiant Eric Clapton yn cyfeirio at Landdewibrefi, mae'n disgrifio Litvinoff fel un o'r dynion mwyaf lliwgar a rhyfeddol iddo ei gyfarfod erioed. Mae'n dweud ei fod yn 'Iddew oedd yn siarad yn gyflym fel pwll y môr, ac yn anhygoel o ddeallus. Doedd dim ots ganddo beth oedd neb yn ei feddwl ohono.'

Mae'n dweud hefyd mai Litvinoff gynhyrchodd y fersiwn anghyfreithlon gyntaf o record Bob Dylan, *The Basement Tapes*.

Un ffaith ddiddorol yn llyfr Eric Clapton yw bod y trempyn Davies, prif gymeriad yn y ddrama *The Caretaker* gan Harold Pinter, wedi ei seilio ar drempyn o Gymro oedd yn ffrind i Litvinoff. Ac ar un o dapiau Litvinoff, fe glywais lais y trempyn yma'n siarad ag e.

Roedd Litvinoff yn aml yn recordio ei alwadau ffôn ar dâp ac fe ges gyfle i wrando ar y tapiau hyn. Roedd tâp ohono fe'n siarad â Bob Dylan. Felly, roedd Bob Dylan wedi ffonio Litvinoff yn Llanddewibrefi.

Roedd hefyd recordiad o sgwrs gafodd e â Brian Jones o grŵp y Rolling Stones a hyn awr neu ddwy cyn i Brian Jones farw o dan amgylchiadau amheus. Gallai'r tâp o'r sgwrs hon rhwng Brian Jones a Litvinoff, o bosib, fod wedi taflu goleuni ar y farwolaeth. Ond doedd yr awdurdodau'n gwybod dim am y tâp, a soniodd neb amdano yn y cwest.

Byddai Litvinoff hefyd yn gweithio ym myd y ffilmiau. Gweithiodd ar un ffilm yn 1968, sef *Performance,* gyda Mick Jagger yn chwarae'r brif ran. Litvinoff oedd yr hyfforddwr deialog a fe hefyd oedd cyfarwyddwr technegol y ffilm. Cafodd y ddwy swydd achos ei fod e'n gwybod cymaint am fyd y gangsters ac am gang Ronnie a Reggie Kray yn arbennig.

Roedd Litvinoff yn cydweithio ar y ffilm gyda ffotograffydd enwocaf y cyfnod, sef David Bailey – tynnodd luniau Twiggy pan oedd hi'n ifanc iawn yn y 60au. Byddai David Bailey yn anfon ei luniau i Landdewibrefi dros ryw fath o beiriant ffacs cyntefig a gwaith Litvinoff wedyn oedd ychwanegu deialog i ffitio'r lluniau.

Ychydig dros flwyddyn yn ddiweddarach buodd ffrind arall i Litvinoff farw, sef Jimi Hendrix. Gofynnodd Litvinoff i fi alw yn Llanddewibrefi ychydig ddyddiau wedi marw Hendrix. Cefais weld cerdyn yn ei wahodd i angladd Hendrix. Ar ganol y cerdyn roedd lwmp o daffi, a smotyn o LSD yn y taffi.

Byddai Litvinoff yn casáu pobol y papurau newydd, yn arbennig ffotograffwyr. Doedd neb yn cael tynnu ei lun. Am 'mod i ond yn gweithio ar bapur newydd Cymraeg, roedd e'n hapus i fi fod yn ei gwmni. Dw i'n credu i mi gael mynd i'w dŷ achos 'mod i wrth fy modd gyda Bob Dylan. Doedd e hefyd ddim yn gallu dioddef unrhyw sôn am yr heddlu. Digwyddodd ffrind sôn iddo weld car plismon y noson cynt yn gwylio'r tŷ. Aeth yn wallgo a'r bore wedyn diflannodd a gadael ei gasgliad enfawr o ganeuon ar dâp yn y tŷ. Mae'n bosib mai nôl i Lundain yr aeth e. Erbyn hyn roedd y Krays dan glo. Cyn bo hir wedi hynny bu farw Litvinoff, wedi iddo gymryd ei fywyd ei hun.

Mae Litvinoff yn rhan o chwedloniaeth yr ardal. Pawb yn sôn amdano'n prynu ac yn rhoi anrhegion. Un diwrnod, ym marchnad Caerfyrddin, prynodd 12 padell ffrio a'u rhoi i'w gymdogion. Byddai bob amser yn gwisgo crys gwlanen, a byddai ei weld yn cerdded i'r Swyddfa'r Post gyda Jack ei Labrador yn ddigwyddiad cyffredin yn Llanddewibrefi.

Does dim cysylltiad pendant rhwng Litvinoff a'r LSD daeth pawb i wybod amdano adeg *Operation Julie*. Ac eto, mae'n siŵr fod y criw cyffuriau gafodd eu dal yn gwybod yn dda am y tŷ yn Llanddewibrefi, am sêr y byd pop oedd yn mynd yno, sêr fyddai'n defnyddio LSD yn gyson. Roedd Keith Richards o'r Rolling Stones yn ymweld yn aml â Llanddewibrefi bryd hynny. Mae e wedi cyfaddef ei fod wedi defnyddio pob cyffur anghyfreithlon oedd yn bod, ac ambell un nad oedd yn bod. Mae elfennau seicedelig asid neu LSD yng ngherddoriaeth Hendrix. Ac mae Eric Clapton yn cyfaddef yn agored hefyd iddo ddefnyddio pob math o gyffuriau. Mae lle i gredu, felly, fod yna gysylltiadau cryf rhwng Llanddewibrefi a'r farchnad LSD.

Cofiwch, fe ddigwyddodd hyn 10 mlynedd

cyn i Richard Kemp a Christine Bott, Alston Frederick Hughes sef Smiles, Russell Spenceley a Mark Tcharney brynu tai yn yr un ardal.

3. Y CYSWLLT Â CHYMRU

Y<small>M MIS</small> T<small>ACHWEDD</small> **1974,** dechreuodd yr ymgyrch fyddai'n cael ei galw'n *Operation Julie.* Yr adeg honno, roedd pethau pwysicach na chyffuriau ar feddwl heddlu Llundain. Roedd bomio'r IRA yn mynd o ddrwg i waeth a doedd yr adnoddau ddim ar gael i daclo problem LSD a chyffuriau anghyfreithlon eraill. Roedd bron i filiwn o bobol allan o waith. Felly, doedd neb yn poeni bod mwy a mwy o bobol ifanc yn smygu canabis.

Ond roedd gan yr heddlu Uned Gyffuriau. Pennaeth yr uned honno oedd **Dick Lee**. O'i flaen roedd adroddiadau ar Ŵyl Bop Windsor a Gŵyl Bop Reading. Wrth ddarllen yr adroddiadau hyn, sylwodd fod cyfeiriadau amlwg at LSD. Roedd Dick Lee'n gwybod bod yr heddlu yn dod o hyd i 20,000 tab o LSD bob blwyddyn. Eto i gyd, o ddarllen yr adroddiadau, roedd hi'n amlwg fod llawer iawn mwy o LSD na hynny yn cael ei werthu a'i ddefnyddio.

Aeth Dick Lee i Scotland Yard a holi'r uned sydd â gwybodaeth am gyffuriau yno (Central

Drugs Intelligence Unit/CDIU). Doedd neb yno'n fodlon gwrando arno pan ofynnodd am fwy o heddlu a mwy o arian i daclo'r holl LSD oedd ar y farchnad agored. Yn ôl yr Uned, doedd LSD ddim yn broblem. Erbyn heddiw, mae'n debyg bod yr uned honno'n gwybod am y broblem ond wedi dewis cadw'n dawel.

Yn ffodus i Dick Lee, fe welodd dau Brif Gwnstabl o Gymru fod yn rhaid gwneud rhywbeth am broblem LSD yn gyflym. Roedd hyn yn help i gael peth cefnogaeth gan y CDIU. Cafodd grŵp o arbenigwyr ei sefydlu i wneud ymchwil i'r farchnad LSD. Daeth heddluoedd o pump gwahanol ardal at ei gilydd yn ogystal â chynrychiolwyr o Scotland Yard a'r CDIU. Y nod oedd cydweithio er mwyn dod o hyd i'r rhai oedd yn gwneud ac yn gwerthu'r cyffur. Ond roedd yn rhaid cael y bobol bwysig i gefnogi'r penderfyniad, a'r ddau wnaeth hynny oedd Prif Gwnstabl Heddlu Dyfed Powys a Phrif Gwnstabl Heddlu Gogledd Cymru.

Wedi cymryd y cam cyntaf, rhaid oedd trefnu'r cyfan o Lundain. Yr **Arolygwr Dick Lee** oedd y pennaeth. Wedyn, o dan Dick Lee cafodd y plismyn gorau eu dewis – hufen 11 Awdurdod Heddlu. Cafodd y grŵp £2 filiwn ar gyfer y gwaith. Ond doedd dim enw ganddynt ar yr ymgyrch. Daeth diwrnod y cyfarfod cyntaf a dyna lle roedden nhw o gwmpas y bwrdd pan ddaeth **Sarjant Julie Taylor** i mewn a gofyn, 'Pwy sydd am baned?' Trodd pob pen i edrych ar y ferch hardd, dal. Ac ar unwaith rhoddwyd *Operation Julie* yn enw ar yr ymgyrch.

Ond cyn sefydlu *Operation Julie*, roedd Dick Lee wedi bod yn gwneud gwaith ymchwil. Aeth ati i chwilio am wybodaeth am y farchnad canabis. Roedd un o'i ddynion, y **Ditectif Martyn Pritchard**, wedi llwyddo i dwyllo'i ffordd i fod yn aelod o un o'r gangiau. Fel aelod o'r gang, roedd yn prynu gwerth £6,000 o resin canabis pan ofynnodd Peter Harries, aelod go iawn o'r gang iddo,

'Wyt ti eisiau prynu asid?' (hynny yw LSD)

'Os yw'r pris yn iawn,' atebodd Martyn Pritchard.

Ac yna daeth y sioc pan glywodd ateb Peter Harries,

'Beth am 1,000 o dabledi am £250?'

Wrth gwrs, cytunodd Martyn Pritchard. Aeth i gwrdd â Peter Harries a dau arall mewn maes parcio yn Reading. Roedd swyddogion cudd yr heddlu yno hefyd. Wrth roi'r LSD i Martyn Pritchard, gofynnodd Peter Harries iddo,

'Ti eisiau rhagor?'

'Faint sy gen ti, te?'

'Wel, os ti eisiau, galla i gael 10,000 o dabledi

LSD i ti bob wythnos.'

'Iawn. Yr un man, yr un pryd, a bydd yr arian gen i hefyd.'

Y tro nesaf y cwrddodd Martyn Pritchard â'r gang roedd gwerth £12,000 o ganabis ganddyn nhw a 1,008 o smotiau meicro LSD. Daeth yr heddlu yno ac arestio pob un. Ond doedd dim digon o dystiolaeth i roi Peter Harries yn y carchar. Diflannodd o Reading. Pan ddaethon nhw o hyd iddo wedyn, roedd yn byw mewn cymuned o hipis ger Tregaron. A dyna sut y dechreuodd yr heddlu edrych ar yr hyn oedd yn digwydd yn ne Cymru a dechrau gweithio ar y cyswllt Cymreig.

Roedd **Ditectif Richie Parry** o Heddlu Dyfed Powys yn amau bod yna gysylltiad rhwng Reading a Chymru o ran cyffuriau. Sylweddolodd fod yr LSD a oedd ar werth yn ne Cymru yn rhatach na'r LSD oedd yn cael ei werthu mewn gwahanol ardaloedd yn Lloegr. Beth oedd y rheswm am hynny? Roedd y smotiau meicro o LSD yng Nghymru yn fwy na'r arfer o ran maint, yn burach ac yn gryfach na'r rhai roedd yr heddlu wedi dod ar eu traws cyn hynny.

Fe fuodd yr heddlu'n holi dynion yn y carchar yn dilyn ymgyrch Reading. Roedden nhw eisiau gwybod o ble roedd y smotiau meicro'n dod. A'r ateb gawson nhw oedd eu bod yn dod o Gymru, o Landdewibrefi. Roedden nhw'n gallu rhoi enw un person hefyd, sef **Alston Frederick Hughes**, neu **Smiles.** Roedd gan Hughes record.

- Yn y 70au cynnar, roedd **Smiles** a **Russell Spenceley** wedi bod yn gwerthu LSD yn Llundain.

- Yn 1970 cafwyd **Smiles** yn euog o gynllwynio i ddwyn.

- Yn 1972, fe'i cafwyd yn euog o fod â chanabis yn ei feddiant.

- Yn 1973 symudodd e, ei gariad a dau o blant i dŷ o'r enw'r Glyn yn Llanddewibrefi.

- Yna, yn 1974 fe symudodd **Russell Spenceley** i fyw ym Maesycrugiau ger Llanybydder.

Er bod y ddau wedi gweithio gyda'i gilydd yn Llundain a Hughes yn gweithio wedyn yn Birmingham, doedd dim byd, hyd yma, yn awgrymu bod Russell Spenceley a Hughes yn rhan o'r farchnad LSD yng Nghymru. Roedd yr heddlu yn Lloegr yn gwybod bod Hughes yn yfed yn drwm ac yn defnyddio cocên a chanabis yn gyson. Roedden nhw hefyd yn credu ei fod yn ennill ei arian i gyd drwy werthu cyffuriau. Ond nawr, gan fod gang Reading wedi rhoi'r enw Alston Frederick Hughes iddyn nhw, roedd yr heddlu'n gwybod bod cysylltiad pendant rhwng Reading a Chymru o ran y farchnad LSD.

Yn y cyfamser roedd **Ditectif Richie Parry** wedi cael gwybod bod Hughes wedi gwneud newidiadau i'w gartref. Roedd hefyd yn gwybod bod dwy guddfan yn wal y tŷ lle roedd hi'n bosib storio cyffuriau. Y cam nesaf oedd chwilio'r tŷ a dyma Richie Parry yn gwneud y trefniadau.

Ddydd Mercher, 16 Ebrill 1975, roedd popeth yn barod. Roedd yr heddlu ar eu ffordd o Aberystwyth i archwilio'r Glyn yn Llanddewibrefi pan ffoniodd Dick Lee gartref un o'r plismyn oedd yn byw yn y pentref. Gwraig y plismon atebodd y ffôn a gofynnodd Dick Lee iddi roi neges i'w gŵr. Gan feddwl bod brys i roi'r neges iddo, aeth y wraig draw i'r Glyn a gofyn oedd ei gŵr yno. Ar unwaith, roedd Hughes yn gwybod bod rhywbeth ar droed. Cliriodd y tŷ o bob tystiolaeth bosib. Erbyn i'r heddlu gyrraedd, roedd y Glyn yn lân. Dim canabis nac LSD. O na bai ffôn symudol ar gael yn y 70au!

Pan gafodd Scotland Yard wybod am y *shambles* hwn cafodd Dick Lee orchymyn i gadw'n glir, a byddai Scotland Yard yn cymryd drosodd. Ond roedd record Scotland Yard hefyd yn y byd cyffuriau yn un digon gwael, a chymerodd Dick Lee ddim sylw o'r rhybudd. Erbyn hyn roedd yr Uned CDIU yn Llundain yn cymryd y sefyllfa LSD o ddifrif.

Roedd Dick Lee nawr yn gwybod bod Russell Spenceley a Alston Frederick Hughes yn byw yn eitha agos at ei gilydd. Pan holodd yr heddlu Hughes fe soniodd e am rywun o'r enw Smiles. Doedd yr heddlu ddim callach am eu bod nhw ddim wedi clywed yr enw Smiles o'r blaen. Mae'n siŵr fod Hughes yn chwerthin yn uchel bob cam yn ôl i'r Glyn achos doedd y plismyn ddim yn gwybod mai'r un dyn oedd Alston Frederick Hughes a Smiles!

Ymysg yr enwau eraill ddaeth i'r amlwg oedd **Richard Kemp**, a'i bartner **Christine Bott,** y ddau yn byw yn Nhregaron. Pan glywodd Ditectif Richie Parry enw Richard Kemp, canodd yr enw gloch. Cofiodd fod dyn o'r enw Richard Kemp wedi bod mewn damwain ofnadwy ychydig wythnosau cynt ger Derwenlas. Roedd Richard Kemp yn ei Land Rover coch ar un o'i deithiau rhwng Tregaron a Charno ac wedi taro car gweinidog, y Parch. Eurwyn Hughes. Cafodd Sheila Hughes, gwraig y gweinidog oedd yn disgwyl babi ar y pryd, ei lladd yn y ddamwain. O ganlyniad, cafodd Kemp ddirwy a chollodd ei drwydded yrru am flwyddyn. Roedd y Land Rover, a'i chefn yn llawn llechi, yn iard yr heddlu yn Aberystwyth.

Y cyd-ddigwyddiad y tro hwn oedd 'mod i, ar y pryd, yn gweithio i'r *Western Mail*. Ces i'r gwaith o fynd i'r cwest ac ysgrifennu'r hanes am farwolaeth Sheila, gwraig y gweinidog. Bryd hynny, doeddwn i ddim yn gwybod y byddai'r ddamwain honno'n agor y drws ar gyfer *Operation Julie.*

O achos y ddamwain, aeth yr heddlu ati i archwilio Land Rover coch Richard Kemp yn fanwl. Symudon nhw'r llechi allan o'r cefn un ar y tro. Yna aethon nhw drwy'r sbwriel. Fe ddaethon nhw o hyd i ddarnau o bapur wedi'u rhwygo'n fân. Gosodon nhw'r darnau wrth ei gilydd a gweld y geiriau *hydrazine hydrate* sef un o'r cemegion sy'n hanfodol ar gyfer cynhyrchu LSD.

4. LSD: CYFFUR NEFOEDD AC UFFERN

MAE DADLAU MAWR WEDI bod dros LSD. Mae rhai'n dweud ei fod yn gallu helpu pobol sy'n dioddef o broblemau meddyliol. Mae eraill yn dweud ei fod e'n achosi problemau meddyliol. Ac eraill yn ystyried LSD fel cyffur all ymestyn y meddwl. O achos ei fod yn gallu ymestyn y meddwl, fe ddaeth LSD, neu asid, yn boblogaidd ac wedyn dechreuwyd ei werthu ar y farchnad ddu.

Dau wyddonydd yn y Swistir, Hoffman a Stoll, ddaeth o hyd i LSD yn 1938. Damwain oedd hyn. Ceisio gwella *migraine* oedden nhw ond daethon nhw o hyd i'r cyffur mwyaf seicedelig erioed.

Aeth Stoll ati wedyn i arbrofi gyda'r cyffur. Yn ddamweiniol, fe lyncodd ychydig ohono ei hun. Daeth newid seicolegol syfrdanol drosto a gwelodd fod y cyffur yn medru newid personoliaeth. Cymerodd Stoll fwy ohono, yn fwriadol y tro hwn, a gwelodd fod cyn lleied â 250 rhan o gram yn ddigon i newid stad ei feddwl am rai oriau. Aeth i mewn i fyd ffantasi, byd o hud a lledrith. Roedd y lliwiau'n anhygoel o lachar, y ffurfiau yn ei feddwl yn rhyfedd a dieithr a'i emosiynau'n eithafol. Mae rhai sydd wedi cymryd LSD yn dweud eu bod yn clywed lliw a gweld miwsig.

Yn anffodus, gall LSD hefyd arwain at hysteria ac at berson yn ymosod ar berson arall. Does dim rhyfedd ei fod yn cael ei ddisgrifio fel cyffur nefoedd ac uffern. Byddai rhoi dau lond bag yn y cyflenwad dŵr yn ddigon i barlysu'r Unol Daleithiau am dros wyth awr.

Mae pobol yn cymryd LSD drwy ei lyncu neu ei chwistrellu. Yn wir, mae'n gallu mynd i mewn i'r corff drwy fân dyllau yn y croen. Mae anadlu LSD yn gallu achosi problemau. Cafodd yr heddlu oedd yn gweithio ar *Operation Julie* broblemau. Yn wir, aeth rhai mor bell ag ymladd â'i gilydd heb unrhyw achos na rheswm. Un tro aeth tri o'r heddlu i mewn i labordy Henry Barclay Todd oedd yn gwneud LSD a chael profiadau gwahanol iawn dan effaith y cyffur; rhai'n cael profiadau da, eraill yn cael hunllef.

Buodd Richard Kemp mewn pedair damwain yn ei Land Rover yn ystod *Operation Julie*. Oedd yr LSD yn gyfrifol, tybed? Mae'n ffaith i Richard Kemp gymryd LSD yn fwriadol pan fyddai'n gweithio. Roedd e eisiau i'w gorff a'i feddwl ddod i arfer â'r cyffur wrth iddo'i gynhyrchu.

LSD oedd y cyffur ffasiynol yn y 60au gyda phobl oedd yn credu mewn *Flower Power*. Hwn oedd y cyffur oedd yn mynd i newid y byd. Hwn oedd cyffur Brawdoliaeth y Cariad Tragwyddol. Am unwaith, aeth y syniadau hyn o Brydain i America yn hytrach na'r ffordd arall. Yn fuan roedd pobol ifanc ym mhob man eisiau bod yn rhan o'r cwlt. Seicolegydd o Harley Street yn Llundain oedd un o'r rhai cyntaf i weld y posibiliadau a fe, Dr Humphrey Osmond, greodd y gair 'seicedelig'.

Yna symudodd byd y Cariad Brawdol Tragwyddol a *Flower Power* o Brydain i America pan ddaeth **Dr Timothy Leary** yn broffwyd y cwlt. Roedd yn ddarlithydd yn Harvard ac eisoes wedi arbrofi â chyffuriau eraill. Ond pan gymerodd LSD roedd yn gwybod mai hwn oedd y cyffur iddo fe. 'Green' oedd enw LSD yn America.

Symudodd Leary i fyw mewn plasty enfawr yn Millbrook. Y plasty hwn, nawr, oedd canolbwynt byd-eang y cwlt CARIAD a HEDDWCH. Y ddau air hyn oedd slogan y cwlt. Rhain arweiniodd y bobol ifanc i fynd ar y strydoedd:

- i brotestio yn erbyn rhyfel Fietnam
- dros hawliau sifil

- dros ryddid i bawb ddefnyddio LSD.

Y cyfan yn enw Cariad a Heddwch. Dyna pam y ffurfiwyd mudiad Brawdoliaeth y Cariad Tragwyddol. Wedyn cododd pob math o fudiadau yn enw Cariad a Heddwch, mudiadau mor bell oddi wrth ei gilydd â'r hipis a Hell's Angels.

Gwnaed LSD yn anghyfreithlon yn America yn 1967. Ond roedd rhaid aros tan 1974 cyn i LSD fod yn anghyfreithlon ym Mhrydain. Felly, rhwng 1967 a 1974, roedd sawl cwmni yn cynhyrchu LSD ac yn ei anfon i America. Roedd cwmni yn Hampshire yn ei anfon drwy'r post! Hefyd, roedd cwmni bwyd anifeiliaid, Alban Feeds, yn cynhyrchu LSD ac yn defnyddio'r busnes i werthu a dosbarthu LSD ei hun. Yn raddol, tyfodd y fasnach yn fusnes byd-eang gwerth miliynau o bunnoedd. Y ddau ffigwr canolog oedd Michael Druce a Ronald Craze. Aethon nhw mor bell ag allforio'r cemegion sy'n hollbwysig i wneud LSD, i'r UDA yn hollol anghyfreithlon.

Yn y diwedd fe ddaeth hi'n glir fod arian mawr iawn yn newid dwylo rhwng Prydain ac America a bod rhaid ymladd y busnes a'r fasnach fawr ryngwladol.

Cafodd *Operation Bel* ei lansio yn America a daethon nhw o hyd i labordai LSD yn

Califfornia. Cafodd Leary ei arestio a'i garcharu am 10 mlynedd. Llwyddodd i ddianc a thalodd Brawdoliaeth y Cariad Tragwyddol 50,000 o ddoleri i gorff cudd arall i'w smyglo o UDA a mynd ag e i Algiers. Wedyn aeth i'r Swistir. Doedd y Swistir ddim eisiau Leary ac aeth ymlaen i Afghanistan. Roedd yn rhydd am dair blynedd cyn cael ei arestio unwaith eto.

Yn ystod y tair blynedd cyn sefydlu *Operation Julie*, mae'n bwysig dweud bod 1,000,000 tab o LSD wedi cael eu cynhyrchu a'u dosbarthu ym Mhrydain.

Nôl ym Mhrydain, yn 1976 ac *Operation Julie* wedi cychwyn, sylweddolodd arweinydd yr ymgyrch, Dick Lee, bedwar beth pwysig iawn:

- bod cysylltiad pendant rhwng Prydain ac America o ran cynhyrchu a dosbarthu LSD

- bod y busnes yn ymestyn i bob rhan o'r byd

- bod bwthyn bach **Penlleinau** ger Tregaron yn hollbwysig i'r busnes

- bod cyswllt rhwng Richard Kemp a Michael Druce a Ronald Craze.

Roedd *Operation Julie* felly'n mynd i fod yn frwydr rhwng dau grŵp o bobol ddeallus iawn.

Hufen yr heddlu ar un ochr, ac ar yr ochr arall, rhai o'r meddyliau gorau oedd yn bod. Pobol y prifysgolion, rhai wedi bod yng Nghaergrawnt oedd yn y busnes LSD.

Erbyn hyn, rydyn ni'n gwybod am yr ymchwil sy wedi cael ei wneud yn labordai Caergrawnt. Roedd y darganfyddiadau hyn yn cael eu trafod gan gemegwyr Caergrawnt gan gynnwys Richard Kemp a David Solomon. Roedd David Solomon yn nabod Timothy Leary, o Havard, America ac roedd hefyd yn aelod o Frawdoliaeth y Cariad Tragwyddol.

5. Y PRIF ACTORION

Roedd Michael Druce a Ronald Craze yn byw bywyd hollol barchus yn Lloegr. Ond roedd **Ronald Stark** yn y carchar yn yr Eidal. Cafodd ei arestio yn 1975 yn cario cyffuriau gwerth £45,000 a'i garcharu am 14 blynedd. Wedyn cafodd yr heddlu dipyn o lwc pan ddaethon nhw o hyd i bapurau mewn banc yn Rhufain lle roedd Stark wedi nodi manylion cynhyrchu LSD ym Mhrydain. Roedd yr heddlu'n gwybod am y cyswllt rhwng Richard Kemp a David Solomon – Richard Kemp yn Penlleinau a David Solomon, ar y pryd, yn America.

Roedd un arall. Doedden nhw ddim yn siŵr o'i enw. Henry neu George. Wedi chwilio drwy gannoedd o ddogfennau llys yn ardal Caergrawnt, fe ddaethon nhw o hyd i'r enw, **Henry Barclay Todd** oedd yn byw yn Llundain.

Un peth oedd gwybod lle roedd rhai o brif actorion y ddrama. Peth arall oedd cael digon o heddlu ac adnoddau i gadw golwg ar y bobol hyn 24 awr y dydd. Gydag arian y Swyddfa Gartref, daeth gwerth £6,000 o offer, sef camerâu, lensys, telesgops, heb sôn am lond gwlad o feicroffonau bychan, a allai dderbyn negeseuon yn ogystal â'u trosglwyddo.

Mae Penlleinau, cartref Richard Kemp a Christine Bott, mewn man amlwg wrth ymyl y ffordd sy'n arwain at ben pellaf Blaencaron. Mae bryn uchel yn edrych i lawr ar gefn y tŷ ac felly'n lle anodd i osod offer gwrando. Ond sylwodd Dick Lee fod y ddau'n aml yn sgwrsio yn yr ardd gefn.

Y cynllun oedd fod dau swyddog yn mynd gyda Dick Lee ar ôl iddi nosi, cuddio'r meicroffon yn wal yr ardd a gosod trosglwyddydd (*transformer*) yn y cae agosaf. Methon nhw'r tro cyntaf. Pan gyrhaeddon nhw'r ardd, gwelon nhw fod ffenest stafell wely'r ddau ar agor.

Yr ail gynllun oedd gosod yr offer yng ngolau dydd. Roedden nhw wedi amseru faint oedd hi'n cymryd i Christine Bott yrru i Dregaron. Tair munud a hanner union. Cuddiodd y tri nes i'r car adael y bwthyn. Rhuthrodd Dick Lee ac un plismon i fyny'r ffordd a'r llall yn cadw cyswllt ar y radio o ben y bryn. Roedd un arall hefyd yn eistedd yn ei char ar y lôn. Merch oedd honno a'i gwaith oedd rheoli'r traffig pe bai Christine Bott a Richard Kemp yn dod yn ôl yn rhy gynnar. Roedd hi i fod i ddweud bod ei char wedi torri lawr. Yn ffodus, nid i Dregaron aeth Richard Kemp a Christine Bott y diwrnod hwnnw ond i Garno, taith awr a hanner un ffordd. Gweithiodd y cynllun yn berffaith.

Roedd disgwyl mawr i'r ddau gyrraedd nôl. Trwy'r telesgop, gwelodd y plismyn y ddau'n eistedd yn yr ardd yn sgwrsio. Ond doedden nhw ddim yn gallu clywed gair roedd y ddau'n ddweud am fod cân bronfraith yn boddi eu sgwrs. Roedden nhw wedi gosod y math anghywir o feicroffon a doedd hi ddim yn bosib newid yr offer am fis arall tan i Richard Kemp a Christine Bott fynd i Garno unwaith eto.

Erbyn hyn, roedd rhaid i Dick Lee a'i griw gael lle i fyw yn ardal Tregaron. Cawson nhw ffermdy o'r enw Bronwydd ar rent am £10 yr wythnos. Roedd yng nghysgod bryn a oedd rhyngddo a Phenlleinau. Safle da, ond roedd y tŷ mewn cyflwr ofnadwy, heb ddŵr, heb wres a heb dŷ bach – lle oer a llaith. Pan fydden nhw'n cynnau'r tân byddai'r lle'n llawn o fwg. Ond roedd un fantais. Roedd y lle'n bell o bobman a dim ond y postman yn debyg o alw heibio. Er mwyn cadw trwyn hwnnw allan o'u busnes, gosodon nhw focs i dderbyn y post ganllath o'r tŷ, ar ochr y ffordd.

Roedd Dick Lee nawr yn gallu gwylio

symudiadau Richard Kemp yn fanwl. Sylweddolodd e nad oedd Richard yn mynd mor aml i Garno. Os oedd LSD yn cael ei gynhyrchu yn y plasty yng Ngharno, rhaid bod y gwaith wedi dod i ben am y tro. Daeth Dick Lee hefyd i nabod cymeriad Richard Kemp. Roedd yn bwysig iddo wybod beth oedd teimladau Richard Kemp tuag at Christine Bott. Daeth i'r casgliad ei fod yn meddwl llawer ohoni. Sylweddolodd hefyd fod Richard Kemp yn hoffi byd natur a'i fod wrth ei fodd allan yn ei ardd yn tendio'r llysiau ac yn gofalu am y ddwy afr, Petra a Stella. Roedd hi'n anodd deall sut roedd dyn sensitif fel hwn yn gallu cynhyrchu miloedd ar filoedd o dabiau LSD oedd yn cael eu gwerthu ar strydoedd Prydain, Ewrop ac America.

Gan fod Penlleinau, Tregaron, awr a hanner o daith o Blas Llysin, Carno, roedd angen plismyn i wylio'r ddau le. Yng Ngharno penderfynodd Dick Lee osod carafán y tu allan i gatiau'r plas. Roedd rhaid cael stori dda i esbonio pam roedd y garafán yno. Penderfynwyd dweud mai swyddogion yn mesur y tir oedd yn byw yn y garafán a'u bod yn chwilio am wythiennau glo yn yr ardal. Gwnaethon nhw'n siŵr fod y postman lleol, y dyn llaeth a chwsmeriaid y dafarn leol yn gwybod ac yn ailadrodd eu stori nes bod pawb yn ei chredu.

Roedd un plismon yn cadw golwg ar Blas Llysin bob awr o'r dydd. O'r garafán roedd hi'n hawdd gweld unrhyw un a fyddai'n mynd a dod i'r plasty. Un o'r gwylwyr hyn oedd y Ditectif Dai Rees o Heddlu Dyfed Powys. Roedd e wedi ymuno ag *Operation Julie* am chwe wythnos ym mis Ebrill 1976 – ond fe wnaeth yr ymgyrch bara am 13 mis.

Roedd Richard Kemp a Christine Bott yn dal i deithio i'r plasty yng Ngharno yn y Land Rover. Sylwodd y gwylwyr ei fod e'n edrych yn fwy a mwy blinedig a gwelw. Roedd Richard Kemp yn aros yn y plasty am tua 48 awr ar y tro ac yna byddai Christine yn ei yrru adre i Dregaron. Roedd Dick Lee yn sicr fod LSD yn cael ei gynhyrchu yno, a bod yr LSD yn cael effaith ar Kemp ac yn ei wneud e'n sâl. Ond roedd hi'n anodd mynd yn agosach. Roedd pobol yr ardal yn gyfarwydd â gweld perchennog y plas, Paul Joseph Arnaboldi, ar y to'n gosod ac yn ailosod llechi'r to. Roedd hi'n hawdd felly iddo fe weld unrhyw un a fyddai'n dod yn agos at y tŷ. Hefyd, roedd ganddo ddynion ar ddyletswydd yn gofalu am y tŷ bob amser.

Roedd Dick Lee mewn penbleth. Cyn hir byddai cynhyrchu'r LSD drosodd am gyfnod arall, a byddai'n flwyddyn arall cyn i'r cynhyrchu ailddechrau. A ddylai felly drefnu cyrch ar y lle ac arestio pawb? Neu a ddylai oedi er mwyn dal y rhai oedd yn dosbarthu'r LSD hefyd? Penderfynodd aros. A diolch byth, gwelodd ei fod wedi gwneud y penderfyniad iawn. Roedd cynhyrchu'n dod i ben yng Ngharno a'r plismyn oedd yn gwylio'n gweld offer yn cael ei symud o'r plasty i Benlleinau bob tro byddai'r Land Rover yn mynd a dod. Fyddai dim angen bellach gwylio'r plasty yng Ngharno felly.

6. DIM FFINIAU

ER MAI YNG NGHEFN gwlad Cymru roedd Richard Kemp yn gwneud yr LSD puraf a chryfaf yn y byd, roedd y farchnad yn ymestyn ar draws y byd. Timothy Leary oedd wrth wraidd y fasnach yn America. Fe wnaeth gychwyn yr arfer o gymryd LSD a chychwyn Brawdoliaeth y Cariad Tragwyddol. Roedd cymryd LSD yn rhan bwysig o syniadau'r mudiad. Ond roedd y fasnach yn llawer mwy ac yn ymestyn dros gymaint o wledydd a chyfandiroedd.

Roedd un peth yn gyffredin ymhlith y rhai oedd yn rheoli'r fasnach. Byddai pob un yn teithio'n helaeth. Ond nid teithwyr er mwyn mwynhau gwyliau oedd y rhain. Roedd ganddyn nhw nod llawer pwysicach bob tro y bydden nhw'n ymweld â gwlad dramor.

Roedd Richard Kemp wedi teithio i bob gwlad yn Ewrop ac roedd e a Christine Bott yn gyfarwydd hefyd â Norwy. Roedd teithio bron yn ffordd o fyw i Henry Todd. Rydyn ni'n gwybod iddo deithio i Ffrainc, Denmarc, y Weriniaeth Tsiec, Melita, Berlin, Delhi Newydd, Senegal,

America, Sierra Leone, Sbaen, Katmandhu, Canada, Gwlad Groeg a Barbados. Rhwng 1969 a 1970, fe wariodd £50,000 ar deithio – arian mawr bryd hynny.

Roedd gan Arnaboldi, perchennog Plas Llysin, gartref yn Majorca ac roedd e hefyd yn teithio'r byd. Yn 1974 cafodd ei weld ar gwch hwylio yn Penang, Burma. Roedd Smiles yn hoffi mynd i Holland, gwlad lle does dim deddfau llym yn erbyn cyffuriau erioed wedi bod mewn grym. Aeth hefyd i India. I Ewrop, America a Gogledd Affrica y byddai Russell Spenceley, yr un oedd yn gwerthu cyffuriau i Smiles, yn hoffi mynd.

Roedd Mark Tcharney yn hoffi mynd i Wlad Groeg a Gogledd Affrica. Buodd hefyd yn Amsterdam yn trefnu dosbarthu'r LSD roedd Richard Kemp wedi'i gynhyrchu. Roedd Brian Cuthbertson a'i deulu yn berchen ar *chateau* yn y Dordogne a byddai Henry Todd yn aros yno gyda fe. Roedd e hefyd yn teithio ledled Ewrop, Gogledd America, Gwlad Groeg, Gorllewin a Gogledd Affrica a'r Caribî.

Roedd dynion eraill hefyd, â'u henwau ar ffeil yr heddlu, yn teithio i'r un gwledydd ac wrth eu bodd yn gwneud hynny. Ond busnes oedd y prif bwrpas, a'r busnes oedd creu cysylltiadau, dod i nabod pobol oedd yn barod i dderbyn ac i werthu'r cyffur LSD. Hefyd, roedd y bobol hyn yn trafod â banciau yn yr Almaen, y Swistir a Ffrainc, yn cadw arian mawr yno, yn ogystal â chemegion ar gyfer cynhyrchu LSD.

Daeth yr heddlu o hyd i gannoedd o ddogfennau yn y Swistir, yr Almaen a'r Weriniaeth Tsiec. Roedd y dogfennau hyn yn dangos lle roedd y fasnach, y cwmnïau cemegol a'r offer masnachol wedi eu lleoli. Roedden nhw hefyd yn clymu enwau'r aelodau pwysicaf â grwpiau fel Baader-Meinhof oedd yn creu terfysg ofnadwy yn yr Almaen, yr Angry Brigade a hefyd yr Hell's Angels. Roedd gan yr IRA ddiddordeb yn y busnes. Ac roedd hyd yn oed y CIA yn cael ei enwi yn y dogfennau.

Un o'r cymeriadau mwyaf sinistr oedd **Gerry Thomas**, un o'r rhai oedd yn cario cyffuriau. Cafodd ei arestio yn cario 15 pwys o ganabis gan Mounties Canada wrth ddod oddi ar awyren yn Montreal. Y gosb am hyn yn Canada yw carchar am oes. Doedd e ddim am wynebu hynny, felly fe ddewisodd daro bargen. Roedd yn barod i ddweud popeth roedd e'n ei wybod er mwyn cael mynd yn rhydd. Cytunodd heddlu Canada. Aeth i'r carchar am 15 mis a chael ei ryddhau ar ôl treulio 7 mis dan glo. Yna cafodd ei anfon yn ôl i America.

Wedi cyrraedd America, cafodd ei holi'n fanwl. Dywedodd ei fod ym Mhrydain yn 1974 a'i fod wedi gweithio gyda phedwar o bobol oedd yn cynhyrchu LSD. Fe enwodd Richard Kemp a Christine Bott, David Solomon a rhywun o'r enw Henry. Henry Todd oedd hwn. Dywedodd Gerry Thomas fod Richard Kemp wedi bod yn arbrofi ac yn cynhyrchu LSD mor gynnar â 1970.

Hefyd, yn 1974 cafodd person arall oedd yn cario cyffuriau ei arestio yn Awstralia â 1,500 o smotiau meicro o LSD gyda fe. Fel Gerry Thomas, ceisiodd yntau daro bargen: rhoi enwau a gwybodaeth ac osgoi mynd i'r carchar am flynyddoedd maith. Rhan o'r hyn ddywedodd e oedd fod LSD yn cael ei gynhyrchu rhywle yng Nghymru.

Ar ôl i *Operation Julie* arestio pawb yn 1977, roedd aelodau pwysicaf y grŵp yn gwybod mai Gerry Thomas oedd y bradwr. Dywedodd Richard Kemp wrth yr heddlu fod yna gontract allan ar fywyd Gerry Thomas. Ac mae lle cryf i gredu bod hyn yn wir.

Yn 1976 aeth Dick Lee allan i America a siarad â Gerry Thomas. Gwrandawodd ar ei stori ac fe welodd e samplau o'r LSD roedd Gerry wedi bod yn eu cario. Richard Kemp oedd wedi gwneud yr LSD hwnnw.

Un diwrnod, drwy'r telesgop yn y garafán yng Ngharno, fe welodd y plismon rywun rhyfedd iawn ei olwg nad oedd wedi'i weld o'r blaen. Americanwr oedd e, wedi dod i'r plasty i weld Arnaboldi. Vladimir Petroff-Tchomakov oedd ei enw ac roedd yn ffoi rhag yr heddlu yn Washington. Roedd wedi cael ei gyhuddo o gynhyrchu LSD, wedi talu $50,000 i gael ei ryddhau cyn mynd yn ôl i'r llys. Ond, roedd wedi torri ei fechnïaeth, dianc o America a dod i Gymru. Dyma gysylltiad arall yn profi unwaith eto fod y fasnach gyffuriau yn croesi moroedd a gwledydd.

Ond mae'n bosib mai'r sarff mwyaf peryglus o'r criw i gyd oedd **Ronald Stark**. Rydyn ni wedi darllen yn barod ei fod yn y carchar yn yr Eidal yn 1977 am gario cyffuriau gwerth £45,000. Roedd e'n gemegydd ac roedd mewn cyswllt â sawl cemegydd arall fel Richard Kemp ym Mhrydain ac eraill yn America. Trwyddo fe y daeth y cyswllt rhwng Richard Kemp a Brawdoliaeth y Cariad Tragwyddol. Heb os nac oni bai, Ronald Stark oedd yr un oedd yn gyfrifol bod Brawdoliaeth y Cariad Tragwyddol wedi sefydlu busnes cynhyrchu LSD yng Ngharno ac yn Llundain. Dyna'r byd cyffuriau. Ond roedd gan Ronald Stark hefyd gysylltiadau â'r CIA ac roedd ganddo ffrindiau yn Llysgenhadaeth America. Dyn peryglus â ffrindiau dylanwadol iawn.

Mae'n siŵr fod calon y bobol ddechreuodd Frawdoliaeth y Cariad Tragwyddol yn y lle iawn. Wedi'r cyfan, roedden nhw'n credu mewn cariad a heddwch. Ddechrau'r 60au roedd rhyfel Fietnam ar ei waethaf ac roedd ofn mawr y byddai Trydydd Rhyfel Byd yn dechrau. Roedd ofn hefyd fod y byd yn cael ei ddinistrio gan y bobol oedd yn byw ynddo. Roedd Richard Kemp yn gweld y byddai ein cymdeithas ddiwydiannol ni'n dod i ben ar ôl i olew'r byd redeg yn sych.

Eisiau ffordd newydd o fyw ac o feddwl roedd Richard Kemp. Roedd e'n credu bod cymryd LSD yn rhan hanfodol o hyn. O'r math yma o feddwl, datblygodd LSD yn fusnes, ac yn gyflym iawn daeth y busnes yn llawer pwysicach na chariad at frawd.

Mae'n anodd credu bod rhai o'r criw yn y llys barn yn dadlau mai CARIAD oedd tu ôl i'r cyfan. Allwn ni dderbyn hyn? Mae'r holl arian – arian anhygoel o fawr oedd yn gymaint rhan o'r gwerthu – yn chwalu'r ddadl yn llwyr. Eto, dyna ddadl Richard Kemp, Christine Bott ac i raddau, Mark Tcharney. Ond, os oedden nhw eisiau creu ffordd newydd o feddwl, pam nad oedden nhw'r rhoi'r LSD i bobol am ddim? Neu godi ond pris y costau cynhyrchu? Roedd y lleill gafodd eu harestio yn cyfaddef yn onest eu bod nhw yn y busnes er mwyn yr arian.

Ar ddiwedd yr achos, dywedodd y Barnwr Park:

'Mae delio mewn LSD yn arwain at elw mawr ac mae'n anodd iawn dod o hyd i'r rhai sydd yn y fasnach. Yn wir, rhaid cael ymgyrch ar raddfa *Operation Julie* i stopio neu hyd yn oed leihau y fasnach gyffuriau. Rydych chi'n dweud eich bod chi wedi gwneud hyn am fod LSD yn rhyddhau meddyliau pobol ac y byddai hynny, yn eich geiriau chi, yn creu dynoliaeth well. Yn fy marn i, mae'r ideoleg hon yn ffug.'

Aeth ymlaen i gyfeirio'n arbennig at Richard Kemp gan ei ddisgrifio fel 'dyn â thalent ganddo a allai fod wedi cyfrannu at gymdeithas yn hytrach na gwastraffu ei dalent ar LSD'.

Mwya i gyd o ffeithiau oedd yn dod i'r wyneb, mwya i gyd y gwelwyd bod yr holl fasnach, y cysylltiadau personol a'r dosbarthu'n ymestyn ledled y byd. Ar y dechrau, roedd hi'n edrych fel pe bai'r heddlu wedi dod o hyd i fusnes cyffuriau oedd yn digwydd rhwng Prydain ac America. Ond fel roedd enwau pobol, mwy o ffeithiau a'r cyswllt â banciau'r byd yn dod i'r wyneb, roedd hi'n amlwg bod y cyfan yn ymestyn fel gwe pry cop enfawr dros y byd i gyd. A'r prif gopyn ei hun oedd y cemegydd o Dregaron, Richard Kemp.

7. Y PALMANT AUR

Yn agos i sgwâr pentref Llanddewibrefi mae arwydd ffordd melyn a du sy'n dangos ei bod hi'n 211 milltir oddi yno i Lundain. O Dregaron a phentrefi a threfi Sir Aberteifi, aeth dwsinau o Gardis i Lundain i weithio yn y diwydiant llaeth a chreu cysylltiad agos rhwng y ddau le. Gan mlynedd yn ddiweddarach, yn y 70au, roedd pawb a weithiai yn *Operation Julie* yn gwybod bod cysylltiad cryf newydd rhwng prifddinas y Cardis a phrifddinas y Saeson. Y cyswllt newydd oedd, nid y fasnach laeth, ond y fasnach LSD.

Ac roedd un o brif ddynion y fasnach LSD yn gweithio o Lundain. Roedd Dick Lee yn gwybod ym mis Mai 1976 fod Richard Kemp a Christine Bott yn cysylltu â'r dyn hwnnw. Ond beth oedd ei enw? Henry? Neu George? Roedd yr heddlu'r gwylio symudiadau Richard Kemp, Christine Bott a David Solomon ond doedden nhw ddim hyd yn oed yn gwybod pwy oedd Henry. Neu George?

Cwrddodd David Solomon â Henry neu George pan oedd yn y brifysgol yng

Nghaergrawnt. Roedd yr heddlu'n gwybod hynny a bod gan Henry neu George record llys am werthu cyffuriau. Ond er i'r heddlu chwilio drwy achosion 14 llys barn, ddaethon nhw ddim o hyd i'r enw llawn.

Aeth yr heddlu ymlaen i chwilio am dipyn o amser ac o'r diwedd fe gawson lwyddiant. Yr enw llawn oedd **Henry Barclay Todd.** Ei drwydded yrru roddodd yr enw i'r heddlu. Ar y drwydded hefyd y cawson nhw ei gyfeiriad 148, Cannon Street Road yn nwyrain Llundain. Ond nid dyna lle roedd yn byw. Lle i adael ei lythyron oedd Cannon Street.

Y cwestiwn nawr oedd lle roedd Henry Todd yn byw mewn gwirionedd? Roedd wedi bod o flaen y llys. Ond roedd pob ffurflen yn dweud mai ei gyfeiriad oedd Cannon Street. Yna, llwyddiant! Yn ddamweiniol, sylwodd rhywun ar y ffurflen roedd Henry Todd wedi'i llenwi i gael pasport i'w ferch. Achos ei fod e wedi'i gadael hi tan y munud olaf i gael y pasport, fe ddefnyddiodd Todd ei gyfeiriad iawn, sef 29, Fitzgeorge Avenue, yn union y tu ôl i Olympia. Ac roedd ei rif ffôn hefyd ar y ffurflen. Aeth tîm yr heddlu ati ar unwaith i wylio'r tŷ. Y peth cyntaf welon nhw oedd Henry Todd yn cyrraedd mewn car Volvo Estate.

Doedd cadw golwg ar Todd yn Llundain ddim

mymryn yn haws na chadw golwg ar Richard Kemp a Christine Bott yng Nghymru.

Problem yr heddlu oedd eu bod yn teithio i fyny o Devizes bob dydd mewn hen fan werdd ac roedd hi wir yn anodd cael lle i barcio wrth Olympia. Ac i wneud pethau'n waeth, galwodd dyn tal, nad oedd neb yn ei nabod, yn fflat Henry Todd. Roedd yn amlwg fod ei bartner a'i blant yn nabod y dyn ac yn mwynhau sgwrsio gyda fe. Pwy oedd e? Almaenwr ac aelod o griw Baader-Meinhof! Roedd wedi cael ei ddal yn smyglo cyffuriau drwy faes awyr Heathrow ac ar fechnïaeth.

Dyma pryd y sylweddolodd Dick Lee fod cysylltiad rhwng y busnes LSD ym Mhrydain a'r Almaen a bod LSD yn mynd o Brydain at y grŵp Baader-Meinhof. Roedd hon yn wybodaeth bwysig i'r *Security Services* – gallai grŵp Baader-Meinhof fygwth diogelwch Prydain. Cafodd yr heddlu wybodaeth hefyd fod gan Henry Todd arian mewn cyfrif yn Berlin, yn y Berliner Banc, a bod un o ddynion Henry Todd yn byw yng Ngorllewin yr Almaen ac yn dosbarthu'r LSD yno.

Yn amlwg roedd gan Henry Todd dipyn o arian. Eto, byddai'n derbyn arian dôl fel pe bai e ddim yn gweithio! Wrth i'r heddlu wrando ar y ffôn, fe glywon nhw e'n siarad â rhywun yn

y Dordogne yn Ffrainc. Wedyn, cawson nhw
wybodaeth fod Henry Todd wedi gwneud cais am
Gerdyn Gwyrdd er mwyn gweithio yn Ffrainc.
Roedd e hefyd eisiau cael yswiriant car ar gyfer
car Volvo arall. Er syndod mawr, roedd y car
wedi ei gofrestru i Donald Sutherland, yr actor
enwog o Ganada, sef y tad yn y ffilm *Pride and
Prejudice*. Roedd hwnnw ar y pryd yn Rhufain
yn ffilmio *Casanova*. Doedd ganddo ddim byd
o gwbl i'w wneud â'r ymgyrch cyffuriau. Ond
roedd Todd wedi defnyddio enw a chyfeiriad
Donald Sutherland er mwyn twyllo'r heddlu.
Dyn haerllug, mae'n amlwg, ond dyn â thipyn
o hiwmor hefyd.

Ym mis Medi 1976, roedd popeth yn dawel,
braidd, heb fawr ddim yn digwydd. Roedd yr
heddlu yn y fan werdd yn Olympia yn chwysu
yng ngwres yr hydref a Henry Todd yn byw
bywyd braf gartref – wrth ei fodd yn bwyta yn y
llefydd mwya crand a mynd i'r theatr yn y West
End. Aeth e hefyd ar wyliau i'r Dordogne.

Yna, yn sydyn, dechreuodd e ffonio sawl
swyddfa heddlu, un ar ôl y llall. Oedd e'n
gwybod bod y fan werdd yn gwylio y tu allan
i'r tŷ? Na. Ond roedd ffrind wedi dweud wrtho
fod yr heddlu'n cymryd diddordeb ynddo
achos ei fod wedi torri rheolau traffig. Dyna
glywodd Henry Todd, ta beth. Derbyniodd e

fod dim byd pwysig yn bod. Dyna oedd un o'i gamgymeriadau mwyaf.

Wedi hyn, cafodd yr heddlu stafelloedd mewn adeilad mawr oedd yn agos i gartref Henry Todd yn Olympia. Yno, roedd y setiau radio diweddaraf gyda sianel arbennig ac roedd hi'n bosib clustfeinio ar sgyrsiau ffôn Henry Todd. Wnaethon nhw ddarganfod bod Todd yn talu arian i un plismon i roi gwybodaeth iddo. Felly, roedd rheswm da iawn dros dapio ei ffôn.

Yna, yn sydyn, newidiodd tempo bywyd Henry Todd a daeth e'n fwy ac yn fwy prysur. Un tro, collodd yr heddlu e yn y traffig. Ble roedd e wedi mynd? Ble roedd e'n storio'r LSD? Nid yn ei gartref, roedd hynny'n sicr. Oedd e'n defnyddio enw ffug arall a chwmni ffug?

Ac yna fe gafodd yr heddlu ychydig bach o lwc. Ar y tâp o'i dŷ, clywon nhw fe'n gofyn am ddarn o offer radio gan gwmni arbenigol iawn. Yn ystod y sgwrs, soniodd am 23, Seymour Road yn Hampton Wick. Enw J J Ross oedd ar ddogfennau'r tŷ. Enw ffug arall! Henry Todd oedd wedi prynu'r lle am £33,500. Y cam nesaf oedd gwylio'r tŷ yn Seymour Road.

Daeth y sylw nôl i Gymru gyda'r wybodaeth fod Henry Todd yn cysylltu â rhywun o'r enw Phil. Roedd cwch gyda mast 60 troedfedd gan y Phil yma. Efallai fod Henry Todd yn dod i

Gymru ar y cwch hwn. I ffwrdd â'r heddlu i chwilio pob iard gychod ar hyd arfordir Cymru ond ddaethon nhw ddim o hyd i unrhyw beth o werth.

Roedd yr heddlu, wrth gwrs, yn gwybod am y ffatri LSD yng Ngharno. Ond o ble roedd y cemegion yn dod i wneud yr LSD? Aeth plismyn ati i holi'r cwmnïau oedd yn gwneud offer a gofyn pwy oedd yn prynu ganddyn nhw. Blunt oedd yr ateb. Unwaith eto, enw ffug Henry Todd oedd Blunt. Roedd Blunt, sef Henry Todd:

- yn prynu deunydd fyddai'n rhoi lliw ar y tabledi LSD (Daeth yr heddlu o hyd i'r union fath o ddeunydd lliwio ym Mhenlleinau.)

- yn prynu offer gwydr ar gyfer cynhyrchu LSD

- yn casglu'r offer yn bersonol o Orsaf King's Cross.

Hefyd, gwelodd y gwylwyr rywun dieithr yn mynd i mewn i'r tŷ yn Seymour Road. Roedd e'n cerdded i bobman, byth yn gyrru. Yn prynu tocyn trên tanddaearol i Clapham Common ac yn cerdded i Chessington Court yn Forest Green a phlismon wrth ei sawdl yn ei ddilyn i bob man. **Brian Cuthbertson** oedd y dyn 'ma, ac wedi i'r heddlu wybod ei enw, roedden nhw'n gwybod am ei gysylltiad ag LSD.

Ond y peth pwysig oedd dod o hyd i'r cysylltiad rhwng Henry Todd yn Llundain a Richard Kemp a Christine Bott yn Nhregaron. Ond doedd yr heddlu, er yr holl wybodaeth oedd ganddyn nhw, ddim yn gallu eu cysylltu. Ymlaen â'r dasg felly! Mwy eto o waith chwilio, gwrando, dilyn a chasglu gwybodaeth.

Yna, fe glywon nhw Henry Todd yn siarad ar y ffôn ac yn dweud fod cwmni o'r Swistir yn cynhyrchu'r cemegyn ergotamine sulphate – cemegyn hollbwysig ar gyfer cynhyrchu LSD. Yn ystod y sgwrs ffôn fe drefnodd fynd i nôl ei Volvo newydd o Wlad Belg. Prynodd ddau docyn i hedfan i Bordeaux. Mwy eto o wybodaeth ond, gwybodaeth oedd ddim yn arwain i unman, a dweud y gwir.

Er yr holl waith, roedd yr heddlu'n methu dod o hyd i'r cysylltiad rhwng Llundain a Thregaron.

Sut roedd yr holl fusnes yn cael ei drefnu? Ar sail celloedd? Pob cell ar wahân a neb yn gwybod busnes y gell arall? Fel yna byddai'r IRA yn trefnu pethau. A dyna'r ofn oedd ar yr heddlu. Bod y busnes cyffuriau wedi'i drefnu ar yr un patrwm. Hefyd, roedd hi'n bosib bod gwneud y tabledi yn un rhan o'r fusnes a'r busnes dosbarthu yn fusnes cwbl wahanol.

Ond beth oedd y prysurdeb mawr yn Llundain ac yn Nhregaron? Oedd Henry Todd a Richard Kemp a Christine Bott yn mynd i ddod at ei gilydd a phrofi o'r diwedd bod 'na gyswllt rhwng y tri? A ble? Yn Zurich neu yn Basle? Roedd Henry Todd yn prynu mwy a mwy o ddarnau o offer cemegol yn Enfield. Y tro hwn, marciodd yr heddlu'r offer cyn iddo adael y cwmni. Ond Chistine Bott oedd yr unig un o'r tri aeth i'r Cyfandir. Roedd hi'n cario gwerth £16,000 o arian yr Iseldiroedd ac fe'i rhoddodd mewn banc yno.

Erbyn hyn roedd yr heddlu yn paratoi i daro. Tri thîm, un yn taro yn Llundain, un arall yn Nhregaron ac un yng Ngharno. Y tri ar yr un pryd.

Yna daeth person newydd, dieithr i weld Henry Todd yn Llundain. Ei frawd oedd hwnnw, sef David Todd. Ar y ffôn, clywodd yr heddlu Henry Todd ei hun yn archebu, yn enw ei frawd, rywbeth fel 'C.L.' – cemegyn ar gyfer gwneud tabledi.

Roedd hi'n amlwg fod rhywbeth mawr yn digwydd yn Llundain ond doedd yr heddlu ddim wir yn gwybod beth oedd yn mynd ymlaen.

- Henry Todd a Brian Cuthbertson yn Seymour Road yn llwytho lot o fagiau plastig i mewn i sawl car.

- Mynd â rhain a'u taflu ar domen sbwriel yn agos i Reading.

- Llosgi'r bagiau. Ond llwyddodd ditectifs i dynnu rhai heb eu llosgi'n gyfan gwbl o'r tân.

- Mynd trwy'r bagiau a dod o hyd i rai dotiau meicro o LSD, olion o'r cemegyn C.L. a mowldiau ar gyfer gwneud tabledi. Ond unwaith eto, methu â chael dim i gysylltu'n uniongyrchol â gwneud y tabledi.

- Yna, ar domen sbwriel arall, dod o hyd i ddarnau o offer oedd yn dangos olion LSD.

O'r diwedd, dyma ddarn olaf y jig-so yn ei le. Yr offer ar y domen sbwriel oedd yn eu cysylltu'n uniongyrchol â gwneud y tabledi. Penderfynodd *Operation Julie* daro ar **26 Mawrth, 1977**.

Ond roedd rhaid gohirio unwaith eto!

Clywodd yr heddlu Henry Todd ar y ffôn yn canslo'r poteli llaeth roedd e'n eu cael bob dydd. Roedden nhw'n gwybod hefyd fod ganddo fe docynnau i hedfan i'r Bahamas. Byddai'n rhaid i Dick Lee a'i ddynion daro ar y criw yn Llundain cyn taro yng Nghymru. Problem fawr!

Erbyn hyn roedd gan yr heddlu ffeil drwchus ar Henry Todd. Roedd e wedi cael ei eni yn

Dundee, yr Alban, ar 3 Mawrth 1945, yn fab i uwch-swyddog yn yr RAF. Aeth i sawl ysgol yn Dundee, Singapore a Malaya a chael chwe phwnc Lefel O a dau bwnc Lefel A. Gadawodd yr ysgol i weithio fel porthor mewn ysbyty cyn mynd i weithio fel ffotograffydd ym Mharis. Yna, yn Rhydychen, aeth o flaen y llys a'i gael yn euog o ladrata a thwyllo. Aeth i'r carchar am ddwy flynedd. Wedyn gweithiodd fel cyfrifydd (*accountant*) am gyfnod cyn mynd i fyw gyda ffrindiau yn y Weriniaeth Tsiec. Daeth nôl at ei waith fel cyfrifydd, ac ar yr un pryd roedd yn gweithio fel model noeth i artistiaid.

Aeth yr heddlu mor bell â chreu portread fforensig o Henry Todd. Dyn llawn egni oedd e, deallus hefyd ac eto ddim yn siarad llawer amdano ei hun nac yn cymryd diddordeb mewn gwleidyddiaeth. Yn drefnydd da ac eto'n gwneud pethau'n fyrbwyll, heb ddim rheswm, ac weithiau'n dangos ei dymer wyllt. Ei ddiddordeb oedd dringo a chwarae rygbi, aelod da o dîm yr Albanwyr yn Llundain. Diddordeb arall oedd bwyta yn y *restaurants* gorau a chael cwmni menywod hardd. Roedd ganddo bartner, Maureen Ruddy, ac roedd e'n dad i dri o blant. Yn sicr, roedd Henry Todd yn y busnes cyffuriau i wneud arian.

Doedd dim yn y portread fforensig yn

proffwydo y byddai Henry Todd yn mynd i'r carchar am 13 blynedd.

Ond roedd un ffaith bwysig am Henry Todd a Richard Kemp doedd yr heddlu ddim yn gwybod amdani. A phe baen nhw gwybod, fe fydden nhw wedi arbed oriau o wylio a gwrando.

Roedd Richard Kemp a Henry Todd wedi bod yn gweithio gyda'i gilydd flynyddoedd cynt, roedd yr heddlu'n gwybod hynny. Ond yr hyn nad oedd yr heddlu yn ei wybod oedd fod y ddau wedi cweryla'n ffyrnig. Dyma ddau ddyn cwbl wahanol i'w gilydd. I Henry Todd, gwneud arian oedd popeth. Ond doedd gwneud arian ddim yn bwysig i Richard Kemp. Eisiau newid meddwl pobol oedd e. Eisiau i bobol feddwl mewn ffordd wahanol a chredu bod cariad a heddwch yn gallu newid y byd. Hefyd, roedd ganddo'r freuddwyd o gynhyrchu'r LSD puraf a chryfaf posibl. Doedd dim ots gan Henry Todd beth oedd safon yr LSD. Yr arian oedd yn bwysig. Ac o achos hyn, fe gwerylodd y ddau ac roedd rhaid i Henry Todd ddod o hyd i gemegydd arall.

Wedi'r ffrae, sefydlodd Henry Todd ei labordy ei hun gyda Brian Cuthbertson yn gyfrifol am y cynhyrchu. Aeth Richard Kemp at Arnaboldi a sefydlu labordy yng Ngharno. Yno, daeth breuddwyd Richard Kemp yn wir pan gynhyrchodd yr LSD puraf a chryfaf mewn hanes. Roedd safon yr LSD yn labordy Henry Todd o safon llawer is.

A dyma'r eironi. Jôc wir dda! Roedd llawer o'r LSD o Seymour Road, sef LSD Henry Todd:

- yn cael ei brynu gan ddyn o'r enw Leif

- Leif yn ei werthu i Russell Spenceley ym Maesycrugiau

- Russell Spenceley wedyn yn gwerthu'r tabledi ymlaen i Hughes, sef Smiles, yn Llanddewibrefi am £170 y fil

- Smiles yn gwerthu'r tabledi ymlaen eto am £200 y fil

- ac yn y diwedd, byddai llawer o'r un LSD yn ôl ar strydoedd Llundain am £1 yr un.

- Roedd yr LSD wedi gwneud cylch cyfan.

Petai Smiles ond yn gwybod, roedd yr LSD o'r safon uchaf yn y byd yn cael ei wneud gan y cemegydd Richard Kemp, a hwnnw ond yn byw chwe milltir i fyny'r ffordd ym Mhenlleinau, Tregaron.

Dywedodd Buzz wrtho i nad oedd e na Smiles yn gwybod dim am Richard Kemp a Christine Bott. Hefyd, doedden nhw ddim yn gwybod bod Richard Kemp yn cynhyrchu LSD yng Ngharno ac yn ei droi yn dabledi chwe milltir i ffwrdd yn y pentref nesaf.

8. POBOL Y CWM

AR WAL YSGOLDY BLAENCARON mae llechen er cof am Miss Cassie Davies, Cae Tudur. Hi oedd Brenhines y Cwm ac yn berson arbennig iawn. Yn athrawes ac yn arolygydd addysg o flaen ei hoes, roedd Cassie Davies yn un o'r bobol orau, yn sefyll dros y pethau gorau yn ei bro ac yn ei gwlad.

Yn ei hunangofiant, *Hwb i'r Galon*, mae hi'n disgrifio cyfarfod protest yn llofft Tŷ Capel Blaencaron, adeg yr Ail Ryfel Byd, yn erbyn dymuniad y Swyddfa Ryfel i gymryd tir yn yr ardal. Dyma beth ddywedodd Cassie yn ei hunangofiant:

'Ni bu cwrdd tebyg i hwn yn fy hanes i. Gweld a chlywed ffermwyr tawel yr ardal yn deffro i werth y tir a'r traddodiadau a'r dull o fyw ...

'Fe lyncais i ddagrau lawer yn y cwrdd hwn. Dyna'r pryd y teimlais i gynta, beth yw gafael y tir ... '

Hyd at y 60au, petai rhywun am enghraifft o gefn gwlad Cymraeg Cymru, byddai Cwm Blaencaron yn enghraifft arbennig o dda.

Roedd bywyd pobol y cwm, sy'n arwain o ben isa'r ysgol gynradd yn Nhregaron i fyny'r holl ffordd i Bant-y-craf dair milltir i ffwrdd, yn troi o gwmpas yr Ysgoldy oedd yn galon y gymuned. Yn wir, am 60 o flynyddoedd hyd at 1923, roedd ysgol gynradd yn y cwm a phawb yn siarad Cymraeg,

Wedi'r cyfarfod protest, newidiodd y Swyddfa Ryfel ei meddwl. Aeth pobol y cwm ymlaen i fyw eu bywydau fel cynt. Ond buddugoliaeth wag fuodd hi. Pardwn dros dro.

Tri deg o flynyddoedd wedyn, roedd Cwm Blaencaron wedi newid yn hollol. Nid newid sydyn fel barcud yn disgyn ar ei brae fuodd hwn ond newid slei bach. Ac fe gafodd y newid effaith ar galon y gymuned.

Petai rhywun yn ysgrifennu hanes cefn gwlad Cymru, byddai rhaid siarad am fywyd *cyn* y mewnlifiad o Loegr ac *wedi*'r mewnlifiad. Roedd pobol Cwm Blaencaron am ganrifoedd wedi byw fel Cymry, yn falch o'u diwylliant, eu traddodiadau a'u hiaith. Nawr, roedd Pobl yr Oes Newydd yn byw ar garreg eu drws. Nid bod Cwm Blaencaron yn wahanol i lawer cwm arall yng Nghymru o ran pobol yn symud i mewn. Ond roedd Cwm Blaencaron yn wahanol. Y bobol a symudodd i mewn yma oedd cynhyrchwyr yr LSD puraf mewn hanes. Yn hyn o beth, roedd

Cwm Blaencaron yn wahanol iawn!

Nid Richard Kemp, 32 mlwydd oed, a'i bartner, Christine Bott, 30 oed, oedd y cwpwl cyntaf i symud i'r ardal. Cafodd Richard ei eni yn Bradford, ac roedd yn ddisgybl disglair yn yr ysgol. Yna, yn y coleg, cafodd radd uchel iawn yn y maes niwclear. Cyn symud i Gwm Blaencaron, buodd e'n crwydro'r byd. Aeth i'r Alban, Norwy a gwahanol wledydd Ewrop. Yna, yn 1974, symudodd e a Christine i fyw mewn carafán yng Ngharno. O Garno symudodd y ddau i Benlleinau, Tregaron.

Mae'n ddiddorol darllen beth mae'r heddlu'n dweud am y ddau. Cyn mynd i'r coleg, roedd Richard Kemp yn cefnogi syniadau'r Toriaid. Ond yn y coleg yn Lerpwl, fe newidiodd yn gyfan gwbl a throi at y chwith eithafol, at syniadau chwyldroadol. Mae rhai'n meddwl mai o achos ei fod yn cymryd LSD y newidiodd ei syniadau gymaint. Fel Henry Todd, roedd dwy ochr i'w bersonoliaeth. Yn berson eithriadol o ddeallus ac yn llawn egni nerfus ar y naill law, yn serchog hefyd. Eto, roedd ganddo dymer ffyrnig.

Merch o Swydd Surrey oedd Christine Bott. Roedd hi'n feddyg teulu ac aeth i weithio yn yr adran ddamweiniau yn Ysbyty Bronglais, Aberystwyth. Roedd pobol yn dweud ei bod hi'n ferch dawel, serchog. Fel Richard, roedd hi

65

hefyd yn cymryd LSD, a phobl yn dweud mai dan ei ddylanwad e roedd hi'n gwneud hynny.

Erbyn mis Mai 1976, roedd yr heddlu'n gwylio Richard Kemp a Christine Bott ddydd a nos ym Mhenlleinau ac ym Mhlas Llysin. Ar Fai'r 7fed, daeth Christine, a Richard gyda hi, o Blas Llysin yn ôl i Flaencaron yn y Land Rover. Wedi cyrraedd Penlleinau, gwelodd y gwylwyr y ddau yn yr ardd â'u breichiau am ei gilydd, yn chwerthin a chanu. Roedd hi'n ymddangos bod cyfnod arall o gynhyrchu LSD wedi dod i ben a'r ddau'n dathlu.

Y diwrnod wedyn, gadawodd Arnaboldi Blas Llysin, Carno, a mynd i Bilbao ac ymlaen i Majorca. Roedd hi'n glir felly bod cynhyrchu LSD wedi dod i ben am y tro.

Torrodd yr heddlu i mewn i Blas Llysin a mynd trwy'r adeilad. Roedd hi'n amlwg fod newidiadau mawr wedi'u gwneud yn y seler yn ddiweddar, y waliau wedi eu hail-blastro a'u peintio fel clinic, yn wyn a glân. Yno roedd dau lond drwm o methanol – cemegyn ar gyfer cynhyrchu LSD. Dyma ddarganfod, o'r diwedd, labordy Richard Kemp. Roedd popeth wedi'i adael yn daclus i Richard Kemp, Christine Bott ac Arnaboldi ddod 'nôl maes o law i wneud y lot nesaf o LSD. Cymerodd yr heddlu samplau. Hefyd, roedd yno wahadden wedi marw am ei bod wedi cael gormod o LSD!

Nawr roedd hi'n amser gwerthu'r LSD ac roedd digon ohono ar gael. Dyma gyfle i ddal Smiles, un o'r prif werthwyr, wrth ei waith. Ond doedd yr heddlu ddim yn gwybod ar ba lefel roedd Smiles yn yr holl fusnes. Hen lwynog oedd y boi 'ma, yn gwybod bod yr heddlu ar ei ôl e. Felly anfonodd Dick Lee ddau blismon profiadol iawn, **Wright** a **Bentley**, i wylio Smiles. Wnaethon nhw esgus eu bod nhw'n gwerthu ceir ail-law. Ond pam dod i ardal Tregaron? Y stori oedd fod un ohonyn nhw'n chwilio am ei frawd oedd yn hipi. Buodd y ddau blismon yn byw ac yn cysgu fel hipis mewn hen fan Transit wedi ei pheintio â lluniau blodau. Pan ddaeth y tywydd oer, llwyddon nhw i rentu bwthyn heb fod yn bell o gartref Smiles.

Ond doedd neb yn fodlon eu derbyn nhw. Roedd Cymry Llanddewibrefi wedi cael llond bol o weld wynebau newydd yn cyrraedd yn sydyn a mynd yr un mor sydyn. Doedd yr hipis ddim yn hapus i weld y ddau yma chwaith. Pwy oedden nhw? Plismyn yn esgus bod yn hipis? Roedd yr hipis yn gwybod bod yr heddlu a'r CID yn yr ardal.

Ond o'r diwedd, fe ddaethon nhw'n ffrindiau gyda un o'r hipis wedi i hwnnw gredu eu bod nhw'n gwerthu cyffuriau a'u bod yn rhai o brif ddynion cyffuriau Manceinion! Clywodd Smiles y stori a'i derbyn!

Dyna sut y daeth y ddau blismon yn rhan o'r *scene* yn yr ardal.

Fel r'yn ni'n gwybod, roedd Dick Lee, erbyn hyn, yn byw yn Bronwydd dros y mynydd i Benlleinau. Symudodd i mewn yn swyddogol ar 28 Mehefin 1976. Y stori oedd mai dyn busnes oedd e o'r enw Richard Calvert oedd wedi colli ei wraig, wedi bod yn sâl ac eisiau llonydd. Y plismyn a fyddai'n galw heibio'r tŷ oedd *gweithwyr* yn ei fusnes. A'r dyn yn byw gyda fe yn y tŷ – un arall o'i *weithwyr* – oedd Dave Redrup o Heddlu De Cymru, Cymro Cymraeg.

Wrth gwrs, roedd y ddau yn hoff o'u peint. Allan â nhw, felly, bob gyda'r nos i'r Talbot ar y sgwâr yn Nhregaron ac i'r bar yng nghefn y dafarn i gael eu swper. Bydden nhw yno'n gynnar ac fe ddaeth y bobol leol i ddisgwyl eu gweld a derbyn yr wynebau newydd hyn. Ond, doedd y bobol leol ddim yn gwybod bod Dave Redrup yn siarad Cymraeg. Ar y drydedd noson, dyma Dave Redrup yn clywed sgwrs rhwng y Cymry yn y bar. Sibrwd yn uchel oedden nhw, a throi eu llygaid tuag at y ddau yn y cornel ac fe glywodd y gair hoyw a hoywon. Y diwrnod wedyn, daeth *ysgrifenyddes y busnes* i fyw yn y tŷ, sef un arall o'r heddlu o'r enw Glenice Garlick.

Rhaid oedd aros nawr i Richard Kemp ddechrau gwneud LSD unwaith eto. Am fod mynydd rhwng Penlleinau a'r Bronwydd roedd angen offer soffistigedig. Yn gyntaf, roedd rhaid gosod trosglwyddydd ar ben y mynydd, yna rhedeg cebl ysgafn chwe chan llath o gartref Richard Kemp a Christine Bott i ben y mynydd. Pan ddaeth yn amser i osod y cebl, rhaid oedd cael stori arall – bod *y bobol busnes* hyn am recordio cân pob aderyn prin. Yn anffodus cymerodd y defaid lleol at y cebl a bwyta llathenni ohono. Felly, roedd yn rhaid gosod y cebl ar hyd y weiren bigog ar y ffensys. Yna, cebl arall o ben y mynydd i lawr i Bronwydd. *Switch on.* Ond yn lle cael lleisiau Richard Kemp a Christine Bott yn siarad, côr yn canu glywson nhw. Roedd dafad wedi cnoi drwy'r tâp insiwleiddio mewn un man a'r trosglwyddydd wedi troi'n erial radio. Roedd yr heddlu nawr yn gwrando ar *Caniadaeth y Cysegr*! Ond, wedi trwsio'r cebl, fe weithiodd popeth yn iawn.

Mater o wylio, gwrando a disgwyl oedd hi bellach. Roedd yr heddlu'n gwybod y byddai mwy o gynhyrchu a mwy o fasnachu LSD yn digwydd. Ond pryd? Roedd *Operation Julie* yn barod i aros a gwylio.

Ond roedden nhw'n dod o hyd i fwy o

wybodaeth o ddydd i ddydd.

Yn ystod haf 1976, daeth dau ddyn i sylw'r heddlu, **John McDonnell** a **William Lochhead**. Y ddau ddyn yma oedd yn gyfrifol am y brif farchnad canabis, amffetaminau ac LSD ar y Channel Islands ac yn Glasgow a bydden nhw'n teithio'n gyson i Malta ac Amsterdam. Roedd rhaid tapio eu ffôn a chael tîm i wylio'u symudiadau.

Cafodd Dick Lee syniad gwych. Dros y ffordd i'r tŷ lle roedd y ddau'n byw, roedd coed yn marw o glefyd y coed llwyfen *(Dutch elm disease)*. Gosododd garafán yn y cae a chriw o 'fyfyrwyr' o Brifysgol Bryste i fyw yno. Y myfyrwyr, wrth gwrs, oedd dynion Dick Lee, ac un ohonyn nhw oedd y Cymro, Ditectif Dai Rees. Ond siom! Doedd perchennog y cae ddim yn fodlon, felly bu'n rhaid symud y garafán.

Y syniad wedyn oedd fod Ditectif Martyn Pritchard yn cael ei dderbyn fel aelod o'r gang gwerthu cyffuriau. Peryglus iawn! Pe baen nhw'n dod i wybod mai plismon oedd Pritchard, bydden nhw'n siŵr o'i ladd e. Ond roedd Pritchard yn barod i fynd *undercover*, a llwyddodd. Meddylion nhw fod Pritchard yn ffansïo chwaer John McDonnell, merch hardd iawn, ac fe dderbynion nhw'r ditectif heb unrhyw drafferth. Llwyddodd i brynu 500 o'r tabledi a phrofodd yr heddlu eu bod yn dod o labordy Richard Kemp.

Yn y cyfamser, cawson nhw hawl gan y Swyddfa Gartref i dapio ffôn John McDonnell a William Lochhead. Ar y lein roedd y ddau'n trafod eu busnes yn gwbl agored. Roedd hi'n amlwg:

- eu bod yn delio â gwerth £10,000 y mis

- bod ganddyn nhw ddau brif gyswllt, un yn Llundain a'r llall yng Nghymru.

Un tro clywodd yr heddlu Lochhead yn ffraeo ar y ffôn. Dim ond 3,000 o'r stwff oedd e eisiau. Dim digon o bell ffordd, dywedodd y person yr ochr arall. Pwy oedd y person 'ma? Rhif ffôn y Glyn, Llanddewibrefi oedd e – rhif Smiles! Dyna brofi mai Smiles, Alston Frederick Hughes, oedd prif werthwr LSD yn ardal Llundain. Ar unwaith, cafodd ffôn Hughes ei thapio achos, os oedd 3,000 o dabledi'n swm rhy bitw, roedd hi'n amlwg fod Hughes yn delio mewn niferoedd enfawr.

Roedd y rhwyd yn cau. Ac roedd y dechnoleg yn gwella. Clywodd Dick Lee am dechnoleg lle roedd car heddlu yn gallu dilyn car arall heb fod y car hwnnw yn y golwg. Nawr byddai hi'n hawdd dilyn Richard Kemp a Christine Bott ar hyd lonydd bach y wlad, y cyfan am £4,000.

Ond o'i gymharu â'r holl arian yn y fasnach gyffuriau, swm pitw bach oedd hwn.

Y syniad oedd gosod y dechnoleg ar Renault 6 Richard Kemp a Christine Bott a gosod technoleg mwy soffistigedig eto ym Mhenlleinau.

Aeth Dick Lee yn bersonol i drafod y syniadau hyn gyda'r uwch-swyddogion. Roedd e eisiau cael caniatâd swyddogol i ddefnyddio'r dechnoleg newydd. Siaradodd hefyd am yr holl fusnes gwneud cyffuriau a'u dosbarthu nhw, y cysylltiadau â Baader-Meinhof a'r Angry Brigade. Y cyfan! Ond 'Na' oedd ateb swyddogol y Swyddfa Gartref. Y neges oedd,

'Does dim caniatâd i wneud dim fydd yn creu embaras i'r Llywodraeth bresennol.'

Roedd biwrocratiaeth, nid am y tro cyntaf – ac yn sicr nid am y tro olaf – wedi ennill yn erbyn cyfraith a threfn. Os oedd yr heddlu'n mynd i ennill, byddai hynny heb help y Swyddfa Gartref.

9. GWYLIO A GWRANDO

PENDERFYNODD DICK LEE BEIDIO â gwrando ar y Swyddfa Gartref. Roedd offer clustfeinio ganddo ar gyfer Plas Llysin, Carno. Symudodd yr offer i Benlleinau.

I bob pwrpas, yr hyn roedd pawb yn ei weld oedd Richard Kemp a Christine Bott yn byw fel dau wrth eu bodd yn trin yr ardd. Doedd neb yn galw i'w gweld heblaw hipis, a hynny i brynu llaeth gafr. Fel hyn oedd hi tan ddiwedd Awst 1976.

Un prynhawn, daeth car gwyrdd i Benlleinau â dyn a menyw ynddo. Pawb yn cofleidio – yn amlwg roedden nhw'n hapus o weld ei gilydd. Yna cofiodd y rhai oedd yn gwylio'r tŷ eu bod nhw wedi gweld y car rhywle cyn hynny. Chwilio a gweld mai rhif car dau ddoctor oedd e, Hilary Rees a Mark Tcharney, y ddau'n gweithio yn Ysbyty Amwythig.

Wedyn, fe wnaeth Ditectif Richie Parry ddarganfod bod Mark Tcharney a Hilary Rees wedi prynu bwthyn Esgair Wen, bedair milltir o Lambed a ddim yn bell o Benlleinau. Aeth y

Ditectif Dai Rees, hefyd o Heddlu Dyfed Powys, i weld y bwthyn. Unwaith eto, bwthyn anodd mynd ato yng ngolau dydd heb i rywun gael ei weld.

Rhaid oedd dod o hyd i bopeth am Mark Tcharney. Roedd wedi graddio o Gaergrawnt ac wedi bod yn fyfyriwr yno yr un adeg â David Solomon.

Wedyn, aeth i fyw mewn sgwat yn Llundain ac eto llwyddodd i dalu £21,000 am Esgair Wen. O ble daeth yr arian?

Yna, y sioc fawr. Rhoddodd Arnaboldi Blas Llysin ar y farchnad. Beth oedd yn digwydd? Roedd Dick Lee wir yn poeni.

- Oedden nhw'n gwybod am *Operation Julie*?

- Oedd y criw cyffuriau yn gwybod hefyd am waith yr heddlu yn Llundain ac yn ardal Tregaron?

Ond na. Sylweddolodd Dick Lee, pe baen nhw'n gwybod am *Operation Julie*, byddai pob un o'r arweinwyr wedi diflannu. Ond os oedden nhw'n cau labordy Carno, ble byddai'r labordy newydd? Esgair Wen!

Sylweddolodd Dick Lee fod gweithio gyda'r Swyddfa Gartref yn amhosib. Eto, y Swyddfa Gartref oedd i archwilio popeth yn ymwneud ag

LSD ac roedd labordai ymchwil ledled Prydain ar gael i wneud y gwaith. Ond dyma Dick Lee yn penderfynu y dylai *Operation Julie* gael ei arbenigwr fforensig ei hun. **Neville Dunnett** gafodd y swydd honno.

Y peth cyntaf wnaeth Neville Dunnett oedd mynd i Blas Llysin. Roedd y waliau yn y seleri wedi'u gwyngalchu ond fe welodd Neville Dunnett y tyllau bach lle roedd silffoedd wedi bod. Aeth i chwilio am bren y silffoedd a gweld bod olion LSD arnyn nhw.

Ac yna gwnaeth Ditectif Dai Rees ddod o hyd i rywbeth pwysig arall. Roedd teclyn mesur dŵr yn un o dai allan y plasty. Wedi holi Awdurdod Dŵr Hafren-Trent, deallon nhw fod dros 500,000 o alwyni o dŵr wedi llifo drwy'r mesurydd. Roedd y dŵr, yn amlwg, wedi ei ddefnyddio ar gyfer y broses o wneud LSD. Hefyd, roedd piben ddŵr arall yno er mwyn gadael i'r dŵr lifo allan ar y caeau. Roedd digonedd o ddŵr hefyd yn Esgair Wen. Daeth Dai Rees yn ôl â'r wybodaeth fod ffynnon yn agos i'r tŷ a bod pwll draenio hefyd ar gael. Byddai hwn yn lle da i gael labordy newydd.

Penlleinau oedd y targed pwysicaf. Roedd eisiau gosod cebl denau a meicroffon yno a gwneud hyn drwy ddrilio drwy ffrâm ffenest

oedd yn wynebu'r ffordd fawr. Ond roedd hyn
yn fethiant. Yna gwelodd yr heddlu fod ffenest
arall ar agor! I mewn â nhw, ac am hanner awr
buon nhw'n chwilio drwy'r tŷ, pawb yn dal eu
hanadl rhag i Kemp a Bott ddod nôl.

Mewn cwt bach wrth ymyl y tŷ, gwelon nhw
fwced wrth y drws. Yn hwnnw roedd y defnydd
lliwio ar gyfer gwneud tabledi LSD. Dyma beth
oedd lwc. Amhosib credu bod dyn mor ddeallus
â Richard Kemp wedi gadael tystiolaeth mor
bwysig mewn man mor amlwg; tystiolaeth
oedd yn profi bod Richard Kemp yn defnyddio'i
gartref fel canolfan gwneud tabledi.

Roedd Dick Lee yn fwy penderfynol nag
erioed i osod offer clustfeinio ym Mhenlleinau.
Y to oedd y targed y tro 'ma. Yna, pan oedd
Dick Lee a'i bartner yn cael eu peint yn y Talbot
un noson, clywon nhw'r newydd fod Christine
Bott wedi cael swydd arall. Roedd hyn yn golygu
bod Richard Kemp yn mynd i fod yn y tŷ heb
gar gan ei fod wedi colli ei drwydded ar ôl y
ddamwain yn y Land Rover pan gafodd gwraig
y gweinidog ei lladd.

Roedd **mis Hydref 1976** yn oer ac yn wlyb,
a'r heddlu wrth wylio'r lle'n aml bron â rhewi
ac yn wlyb at eu crwyn. Yna daeth newyddion
i godi calon y criw. Roedd y Swyddfa Gartref yn
barod i adael i Dick Lee osod offer gwrando yn

y Glyn, cartref Smiles. Roedden nhw wedi tapio ei ffôn yn barod a dyna sut roedd yr heddlu'n gwybod bod parsel oddi wrth Smiles wedi ei anfon i Ganolbarth Lloegr. Agorodd yr heddlu'r parsel a dod o hyd i 500 o smotiau meicro o LSD. Cau'r parsel wedyn a'i anfon ar ei daith. Yna agor parsel arall ar ei ffordd i Lundain. Yn hwnnw roedd dros fil o smotiau mewn pecynnau te Typhoo.

Ond pwy oedd yn rhoi'r LSD i Smiles? Aeth yr heddlu drwy'r tapiau o alwadau ffôn Smiles, galwadau i mewn ac allan. Roedd y person oedd yn rhoi'r LSD i Smiles yn byw prin 15 milltir i ffwrdd. Sef Russell Spenceley.

Ym **mis Tachwedd 1976**, roedd cwestiynau'n cael eu holi pryd byddai *Operation Julie* yn dod i ben. Roedd y gost yn llawer rhy uchel a heb awgrym o lwyddiant. Y teimlad oedd y byddai'r cyfan yn methu.

Yna, yng nghanol yr ofnau hyn i gyd, dyma gael llwyddiant aruthrol.

Roedd Dick Lee wedi gofyn am ganiatâd i dapio llinell ffôn Russell Spenceley. Cyn derbyn ateb, fe glywon nhw sgwrs ar ffôn Smiles rhyngddo fe a Russell Spenceley. Smiles yn dweud fod ganddo '50' yn barod. Ystyr hyn oedd bod 50,000 o dabledi'n barod, sef gwerth £62,000. Dyma'r swm mwyaf o LSD a gafodd ei gofnodi erioed yn y byd. Y swm mwyaf cyn hynny oedd 40,000, a hynny yn Missouri gyda Brawdoliaeth y Cariad Tragwyddol.

Ar y ffôn, byddai Smiles a Spenceley bob amser yn siarad mewn côd rhag ofn y byddai rhywun yn gwrando. Cyfarfod yn 'y man lle roedd dy barti priodas di', dyna'r neges ar y ffôn a hyn er mwyn trosglwyddo'r stash o 50,000 am 6 pm. Ble roedd Smiles a Mary wedi cael eu parti priodas? Dyna'r cwestiwn. Wel, yn nhafarn y Ram yng Nghwm-ann. Dyna'r dafarn lle byddai Mark Tcharney a Hilary Rees hefyd yn mynd i yfed.

Wel, i mewn â'r heddlu i dafarn y Ram. Am 6 pm, cyrhaeddodd Smiles gyda'i ffrind, Buzz. Am 6.10 pm, cyrhaeddodd Russell Spenceley. Roedd e'n cario bag siopa plastig gwyn. Aeth at fwrdd Smiles a Buzz a gwthio ei fag o dan y bwrdd. Ychydig wedyn aeth â'r bag allan o'r dafarn ac i mewn i gar Smiles. Ac roedd yr heddlu wedi gweld y cyfan yn digwydd. Ces i wybod yn ddiweddarach, ac yn dawel bach, fod yr LSD yn y bag wedi'i guddio mewn tuniau bwyd babis Johnson. Ond doedd yr heddlu ddim yn gwybod hynny.

Un enw newydd glywodd yr heddlu ar ffôn Smiles oedd yr enw Doug. Roedd y Doug 'ma'n dod i aros nawr ac yn y man ar fferm yn Ystumtuen lle roedd mab Elizabeth Taylor, Michael Wilding Junior, yn byw. Ond pwy oedd Doug?

Yn y Railway Hotel, Tregaron, ac nid yn y Talbot y daeth yr heddlu i wybod pwy oedd Doug. Roedden nhw'n cael sgwrs â rhyw hipi pan gerddodd Smiles mewn. Ar unwaith dyma Smiles yn troi at yr hipi a dweud,

'Hi Doug.'

Diwrnod mart yn Nhregaron oedd hi, diwrnod gwneud busnes, gweld ffrindiau a chael peint. Yna peint arall. Ac ymlaen trwy'r dydd. Erbyn diwedd y dydd roedd Doug wedi yfed gormod, wedi mynd dros ben llestri ac wedi malu ffenest. Cafodd ei arestio ac roedd rhaid iddo fe roi ei enw, sef Douglas John Flanagan o New King's Road, Llundain. A dyma ddolen arall yn y gadwyn.

Roedd Smiles yn brysur iawn yn ateb y ffôn ac yn anfon neu'n cario'r tabledi LSD. Un noson, fe ddilynodd yr heddlu fe allan i bentref yn y wlad, i'r Drovers ym mhentref Ffarmers. Yno roedd Smiles yn barod i dderbyn 100,000 o dabledi LSD a Russell Spenceley yn derbyn £125,000 amdanyn nhw, unwaith eto mewn bag siopa plastig.

Erbyn **Nadolig 1976**, roedd heddlu *Operation Julie* wedi blino'n lân. Roedden nhw wedi bod yn gwrando, gwylio, a dod o hyd i wybodaeth yn ddi-stop. Y newyddion da o ganlyniad i dapio sawl ffôn oedd fod y busnes dosbarthu cyffuriau yn mynd i stopio dros y Nadolig. Cafodd yr heddlu barti mawr i ddathlu'r hoe.

Ymhen tri mis byddai ganddyn nhw fwy o achos fyth i ddathlu.

10. Y RHWYD YN CAU

Ionawr 1977

DOEDD PETHAU DDIM YN mynd yn dda i Dick Lee.

- Roedd disgwyl iddo roi dyddiad pendant pan fyddai *Operation Julie* yn barod i daro.

- Roedd pobol yn dweud ei fod yn gwastraffu arian cyhoeddus.

- Roedd pethau'n symud yn rhy araf.

Y gwir oedd bod pethau yn symud yn araf. Ond yn symud ymlaen!

Yn Llanddewibrefi roedd Smiles yn dal i ddweud bod y ddau hipi (y plismyn *undercover*, Wright a Bentley) yn blismyn cudd. Oedd Smiles wir yn credu hyn? Neu tynnu coes oedd e? Wedi cael llond bol, penderfynodd Wright ei fod yn mynd i golli ei dymer a bygwth Smiles â'i ddyrnau. Gweithiodd hyn a Smiles yn dweud na fyddai byth eto'n dweud mai heddlu cudd oedden nhw. Yna, cafodd Bentley ddadl ffyrnig â'r plismon lleol, a hynny wnaeth i bawb gredu mai hipis oedden nhw. Roedd wedi cael ei ddal yn yfed ar ôl amser cau yn un o'r tafarndai lleol.

Wel, fyddai'r un plismon yn cweryla'n ffyrnig gyda phlismon arall yn gyhoeddus, fyddai e?

Roedd ambell enw ar goll o hyd. Rhywun, yr un mor bwysig â Russell Spenceley, ond doedd neb yn gwybod ei enw. Roedd hi'n bwysig gwybod pwy oedd hwn cyn penderfynu ar y dyddiad mawr i ymosod. Yn sicr, doedd Dick Lee ddim eisiau symud yn rhy gynnar a'r holl waith da yn mynd yn ofer.

Roedd y cyrch, serch hynny, yn cael ei drefnu. Byddai 800 o heddlu a 350 o geir a faniau yn taro ym Mhrydain a Ffrainc. Yna, cododd problem. Rhaid oedd cael gwarant i chwilio, sef hawl i'r heddlu fynd i mewn i adeilad a hawl i chwilio'r adeilad. Yr ynad lleol fyddai'r person i roi'r hawl. Roedd hyn yn golygu bod pobol y tu allan i'r heddlu'n gorfod cael gwybod y dyddiad a lle byddai'r heddlu'n taro. Roedd hyn yn beryglus iawn. Beth pe bai rhywun yn dweud wrth bobol y cyffuriau? A doedd y warant ddim yn para am fwy na 28 niwrnod.

O'r diwedd clywodd Dick Lee y byddai ei ddynion yn cael 30 diwrnod o ras.

O ran Smiles yn Llanddewibrefi, roedd yr heddlu'n teimlo bod digon o dystiolaeth ganddyn nhw. Felly doedd dim angen gwrando rhagor ar ei alwadau ffôn ond gadawon nhw Wright a Bentley yno i'w wylio. Erbyn hyn roedd Wright, Bentley a Smiles yn ffrindiau da iawn, a Smiles yn un hawdd iawn ei hoffi.

Ond doedd byw bywyd fel hipi ddim yn hawdd i'r ddau blismon. Er mwyn cael eu derbyn a bod yn rhan o fywyd hipis yr ardal, roedd y ddau wedi gorfod smygu canabis. Ac erbyn hyn, roedd y canabis yn dechrau cael effaith ar y ddau. Roedd hi'n amser i'r ddau adael. Ond mwynhaodd y ddau fyw yn Llanddewibrefi, ac yn wir, fe ddaeth y ddau'n ôl i ymweld â'r ardal wedi i *Operation Julie* ddod i ben.

Fe benderfynon nhw dapio ffôn dyn arall. Ac o ganlyniad i hynny, daeth yr heddlu i wybod enw **Martin William Annable** a oedd yn byw yn Twickenham, Llundain. Roedd e'n gyn-fyfyriwr ym Mhrifysgol Reading, ac roedd Reading, wrth gwrs, yn lle pwysig yn yr holl fusnes cyffuriau. Dyma'r dyn pwysig roedd Dick Lee eisiau gwybod ei enw.

Chwefror 1977

Roedd Lee yn paratoi i wneud cyrch sydyn ar bob un o'r bobol bwysig. Daeth y timau at ei gilydd yn Aberystwyth, Caerfyrddin, Llundain, Reading a Birmingham. Roedd hi'n bwysig, bwysig fod cyrchoedd pob tîm yn digwydd ar yr un amser ym mhob man. Swindon fyddai'r man canolog i gadw pawb oedd yn gwneud neu'n

83

gwerthu cyffuriau. Roedd digon o gelloedd ar gael yn y carchar yno. Wedi'r cyfan, byddai hyd at 60 yn cael eu dal, pan fyddai *Operation Julie* yn taro.

Ond, unwaith eto, buodd bron i'r cyfan fynd yn ffradach ar y funud olaf. Clywodd Dick Lee fod dynion y *customs* yn barod i fynd i gartref Smiles yn Llanddewibrefi. Ond ar y funud olaf, fe gafon nhw eu hatal.

Ar yr un pryd, cafodd y Ditectif Dai Rees ei anfon i Ffrainc i gadw golwg ar *chateau* Brian Cuthbertson. Pan gyrhaeddodd y *chateau* cafodd dipyn o sioc. Yng nghanol y criw cyffuriau oedd yn aros yno, roedd Cymro Cymraeg. A doedd e ddim fod i gael ei arestio. Aeth y Ditectif Dai Rees ato.

'Bore da,' medde Dai. 'Beth wyt ti'n wneud fan hyn? Ti'n gwbod y byddi di mewn trwbwl mawr os arhosi di 'ma.'

Tro'r Cymro oedd hi i gael sioc. Sylweddolodd ei fod e wedi landio yng nghanol criw peryglus ac roedd yn barod i helpu'r plismon. Dywedodd lle roedd y papurau pwysig yn cael eu cadw, manylion cyfrifon banc, am y stocs a'r *shares*.

Yna digwyddodd sawl peth arall allai beryglu llwyddiant *Operation Julie*.

Roedd dyn ar un o'r papurau newydd wedi clywed sibrydion fod rhywbeth yn mynd ymlaen. Yn naturiol, roedd e eisiau gwybod mwy. Y sioc oedd ei fod yn gwybod mai'r pen dyn oedd Dick Lee. Sut roedd e'n gwybod hynny? Roedd rhaid siarad â'r gohebydd er mwyn cael gwybod o ble roedd e wedi cael ei wybodaeth. Gwrthododd hwnnw â dweud ond cytunodd i ofyn i'w olygydd i ddal y stori 'nôl. A chadwodd yr addewid.

Roedd Plas Llysin yn dal ar werth, a rhywun wedi dangos diddordeb yn ei brynu am £28,000. Rywfodd, roedd y prynwr wedi clywed bod gan yr heddlu ddiddordeb yn yr adeilad, ac roedd yn meddwl tynnu ei gynnig yn ôl. Ofn Dick Lee oedd y byddai Richard Kemp ac Arnaboldi yn clywed am hyn ac yn meddwl bod rhywbeth o'i le. Cytunodd y prynwr i barhau i ddangos diddordeb.

Yna, sylweddolodd yr heddlu bod stoc newydd o LSD yn mynd i gael ei wneud.

Ond cyn i ddim byd arall ddigwydd, daeth gorchymyn oddi wrth y penaethiaid. Roedd rhaid i *Operation Julie* daro ar 19 Mawrth 1977. Na, dywedodd Dick Lee. Doedd pethau ddim yn barod. Fe gafodd wythnos arall ac roedd hynny'n ddigon. Y dyddiad newydd terfynol ar gyfer disgyn ar y criw cyffuriau oedd bore dydd Gwener, 25 Mawrth am 6 o'r gloch.

Ond unwaith eto cododd problem. Y ffaith

fod Henry Todd yn Llundain wedi canslo'r llaeth oedd yn codi ofn y tro 'ma. Oedd e ar fin gadael y wlad? Y penderfyniad oedd arestio Henry Todd am 8 pm, nos Iau, 24 Mawrth.

6.00 fore dydd Gwener, 25 Mawrth, 1977

Disgynnodd yr heddlu yn Nhregaron, Llanddewibrefi, Maesycrugiau a Chwm-ann, ar Richard Kemp a Christine Bott, Smiles a'i wraig Mary, Russell Spenceley a'i briod, a Mark Tcharney. A chafwyd bonws. Yn Esgair Wen gyda Mark Tcharney roedd rhywun dieithr. Pwy oedd e? Neb llai na David Solomon, sef yr un gafodd Timothy Leary gymaint o ddylanwad arno yn America, a Leary oedd y dyn a ddechreuodd y cwbl. Ond pan aethon nhw i mewn i Esgair Wen, dyna siom. Doedd dim labordy yno.

Wedi dal Henry Todd, fe welon nhw fod olion labordy yn Seymour Road, Llundain. Yno hefyd, mewn pacedi o uwd ac Alpen, roedd £20,000 o arian, a 250 miligram o LSD pur, digon i gynhyrchu 2,500,000 o smotiau meicro o LSD. Ac yn fflat un o'r lleill yn Llundain, mewn bocs Scott's Porridge Oats, roedd 50,000 o smotiau o LSD. Tipyn o frecwast!

Roedd Christine Bott yn barod iawn i siarad. Ei nod hi oedd newid cymdeithas, dywedodd. Byddai cymryd canabis ac LSD o help i sicrhau hyn drwy wneud i bobol weld y gwirionedd yn glir.

Cyfaddefodd Kemp ei fod yn gwneud LSD o 1971 hyd at 1973 a'i fod yn gweithio gyda Christine Bott, Henry Todd, David Solomon a Brian Cuthbertson. Symudodd e a Christine i Gymru yn dilyn cweryl â Henry Todd. Dyma pryd yr agorodd y labordy ym Mhlas Llysin gydag Arnaboldi. Wedi'r ddamwain yn 1975, wnaeth e ddim cynhyrchu dim byd y flwyddyn honno ond roedd wedi ailgydio yn y gwaith y flwyddyn wedyn.

Cyfaddefodd Mark Tcharney ei ran yn y busnes cyffuriau. Cyfaddefodd David Solomon iddo dderbyn tabledi oddi wrth Mark Tcharney ac iddo werthu'r LSD roedd Richard Kemp wedi'i wneud.

Aeth yr holi ymlaen am wythnosau lawer. Roedd miloedd ar filoedd o ddogfennau ar gael a bu'n rhaid i'r heddlu fynd trwy bob un â chrib fân. Gweithiodd 4 swyddog am 10 awr y dydd am 5 mis yn dilyn pob enw, cyfeiriad a rhif ffôn.

Yn ôl Buzz Healey, cafodd cymaint eu harestio yn dilyn *Operation Julie* fel y bu'n rhaid clirio llawr cyfan yng ngharchar Bryste ar gyfer pawb!

87

11. TALU'R PRIS

Mis Mawrth 1978

Cafodd dros 30 o bobol eu harestio. Yn Llys y Goron, Bryste, roedd y 30 yn disgwyl clywed eu tynged am eu rhan yng nghynllwyn LSD mwya'r byd. Faint o gosb fyddai'r llys yn ei roi? Faint o flynyddoedd o garchar?

Roedd y gwaith caled wedi'i wneud yn y misoedd cynt wrth i'r heddlu baratoi'r achos yn erbyn yr holl bobol oedd ynghlwm yn y busnes cyffuriau. Penderfynodd mwyafrif y rhai a gafodd eu harestio gydweithio gyda'r heddlu. Ac wrth i'r holi fynd yn ei flaen roedd mwy a mwy o wybodaeth yn dod i'r amlwg:

- Mewn hen ffynnon ger Plas Llysin, roedd offer ac olion LSD.

- Yn y gegin ym Mhenlleinau, roedd offer cynhyrchu LSD ac olion o'r cyffur.

- Hefyd ym Mhenlleinau aeth Christine Bott â'r plismyn at grisialau LSD a mowldiau wedi eu cuddio yn y cladd cadw tatws yn yr ardd. Roedd 120 gram o grisialau yno, digon i gynhyrchu 1,200,000 o dabledi gwerth tua £1,500,000.

- Mewn tomen dail, daethon nhw o hyd i 30 mowld ar gyfer gwneud y tabledi.

- Mewn banc yn Genefa, roedd 1.2 kilo o gemegyn mewn bocs sef peth o'r deunydd i wneud LSD.

- Mewn cyfrif banc yn perthyn i Henry Todd, roedd dros 10,000 o ffrancs y Swistir a gwerth bron i 1,000 o ffrancs mewn gwarantau. Yno hefyd roedd biliau oddi wrth sawl cwmni cemegol.

- Mewn bocsys yn perthyn i Brian Cuthbertson, roedd gwarantau arian gwerth dros 400 o ffrancs, ingot o aur pur yn pwyso un kilo, 25 *krugerand*, a 6,000 *deutschmark* sef gwerth £200,000.

Roedd Richard Kemp eisoes wedi dweud wrth yr heddlu fod bocs gan Christine Bott mewn banc yn Zurich yn cynnwys arian a bondiau gwerth £50,000. Pan agoron nhw'r bocs, dyna lle roedd tystysgrifau cyfranddaliadau a bondiau Americanaidd ac Almaenig, a hefyd 16,800 mewn doleri a 66,000 mewn *deutschmark*. Roedden nhw'n werth £10,000 yn fwy nag oedd Richard Kemp wedi'i feddwl.

Ond i Dick Lee, y pleser mwyaf gwerthfawr oedd clywed Christine Bott yn dweud mai yn Esgair Wen roedd y labordy newydd i fod i gael ei osod. Roedd e wedi bod yn gywir ar hyd yr amser!

Ond roedd bylchau heb eu llenwi. Ble, er enghraifft, oedd asedau Richard Kemp? Roedd hi'n amlwg fod ffortiwn yn rhywle ar ôl yr holl waith cynhyrchu dros y blynyddoedd.

Siom arall i Dick Lee oedd y byddai *Operation Julie* yn dod i ben ar derfyn yr achos llys. Teimlai'r Ditectif Dai Rees hefyd fod rheswm da dros barhau. Roedd cymaint o gwestiynau heb eu hateb a llawer o waith eto heb ei wneud. Hefyd, roedd unigolion heb gael eu harestio, yn dal yn rhydd, ac yn debygol o aros yn rhydd.

Ar ben hyn, roedd Dick Lee yn anhapus iawn mai yn y llys ym Mryste y byddai'r achos yn cael ei gynnal. Dylai achos â phroffil mor uchel ag *Operation Julie* gael ei gynnal yn yr Old Bailey, er mwyn denu'r cyhoeddusrwydd mwyaf.

Roedd Dick Lee hefyd yn cydymdeimlo â'r holl bobol oedd wedi gweithio gyda fe *Operation Julie*, llawer wedi gweithio o dan amgylchiadau ofnadwy drwy oerfel a gwres, glaw a gwynt am ddeuddeg awr y dydd a saith niwrnod yr wythnos ar adegau. Am dros flwyddyn roedden nhw wedi gorfod gadael eu teulu a'u ffrindiau a gweithio o dan amodau erchyll ar adegau. Yn wir, fe effeithiodd ar iechyd ac ar briodasau rhai. Dim rhyfedd i Dick Lee ei hun, a phump o'i ddynion, adael yr heddlu ar ôl yr achos. Aeth Lee ati i ysgrifennu am ei brofiadau cyn mynd i weithio fel ditectif preifat. Ond buodd e farw'n fuan wedyn.

Ond ymhen ychydig, wedi i bopeth ynglŷn ag *Operation Julie* ddod i ben, fe ddigwyddodd un peth a gododd galon pawb. Penderfynodd un person ddweud y cyfan. Does dim enw ond fe ddywedodd wrth yr heddlu lle roedd cyflenwad anferth o LSD a oedd wedi ei gynhyrchu gan Richard Kemp, rhyw ddau kilo o grisialau.

Roedd y stash o dan lawr cegin Penlleinau. O dan lechi'r llawr roedd bocs yn cynnwys 1.3 kilo o grisialau LSD, digon i lunio 13,000,000 o unedau a fyddai'n werth £65,000. Hwn oedd y cyrch cyffuriau mwyaf erioed mewn unrhyw fan yn y byd.

Nid dyna'r cyfan. Ar lan nant fach yn agos i Esgair Wen, cartref Mark Tcharney, o dan dywarchen, roedd bwndel o arian mewn polythen. Yn y bwndel roedd £11,000. Cyn hynny roedd yr arian wedi ei guddio yng nghar Kemp a'r swm bryd hynny oedd £15,000. Yna, wedi *Operation Julie* a'r arestio, cafodd yr arian ei symud a'i guddio ar lan y nant. Erbyn hyn, roedd £4,000 wedi diflannu. Oedd, roedd un o'r gang wedi dwyn £4,000! A dyna'r gwir.

Pan glywodd Richard Kemp hyn collodd ei dymer yn rhacs. Aeth ati i ysgrifennu adroddiad 53 tudalen yn dweud y cyfan am ei ran e yn y cynllwyn. Gorffennodd drwy ddweud mai'r unig arian oedd ganddo fe bellach oedd £12. Roedd yn rhoi'r bai'n bennaf ar Gerry Thomas, y gŵr roddodd ei enw e ac enwau Christine Bott a Henry Todd i'r Mounties yn Canada yn y lle cyntaf.

Dydd Mawrth, 7 Mawrth 1978

Daeth yr achos ym Mryste i ben. Roedd chwech o'r 17 o'r prif gynllwynwyr yn byw yng Nghymru a derbyniodd yr 17 hyn gyfanswm o 124 mlynedd yn y carchar. Dyma sut y cafodd y prif gynllwynwyr eu dedfrydu:

Richard Kemp, 34 oed	13 blynedd
Henry Todd, 33	13 blynedd
Brian Cuthbertson, 29	11 blynedd
David Solomon, 62	10 mlynedd
Andrew Munro, 31	10 mlynedd
Russell Spenceley, 28	10 mlynedd
Christine Bott, 32	9 mlynedd
Alston Hughes (Smiles) 30	8 mlynedd
Martin Annable, 31	6 blynedd

Richard Burden, 26,	6 blynedd
David Todd, 26, brawd Henry Todd	
	6 blynedd
Anthony Dalton, 26	5 mlynedd
Mark Tcharney, 26	3 blynedd

Yr amcangyfrif oedd fod Russell Spenceley wedi prynu a gwerthu tua 850,000 o dabledi. Roedd ei wraig, Janine hefyd yn euog am iddi ei helpu ac fe gafodd ddwy flynedd o garchar – y ddedfryd wedi ei gohirio. Roedd Mark Tcharney wedi trafod tua 200,000 o dabledi ac wedi derbyn tua £16,000. Yn agos i'w gartref daethon nhw o hyd i £11,000 mewn arian parod. Maen nhw'n credu bod Mark Tcharney hefyd wedi trosglwyddo 182,000 o dabledi i David Solomon yn Amsterdam ar gyfer y farchnad yn America. Roedd 50,000 o dabledi LSD yn ei ardd yn Esgair Wen.

Diddorol hefyd sylwi bod gyrrwr Smiles, sef Buzz Healey, wedi cael ei ddedfrydu i flwyddyn o garchar. Chafodd e ddim ei gyhuddo o fod yn rhan o'r prif gynllwyn, ond am fod â deg pwys o ganabis o Morocco yn ei feddiant. Cyn ei ddedfrydu, cafodd ei ryddhau ar fechnïaeth, ar ernes o £20,000. Dyn busnes lleol o Dregaron a dalodd yr ernes, heb iddo wybod dim am y peth. Mae hynny ynddo'i hun yn dangos beth oedd teimladau'r bobol leol tuag at y criw.

Ond ai dyna oedd y diwedd? Na. Roedd yna gwestiynau heb eu hateb. Roedd Paul Joseph Arnaboldi yn rhydd ac mae'n dal yn rhydd. Diflannodd i Majorca ar y diwrnod cyn i *Operation Julie* daro.

Yn ôl y sôn, roedd y busnes cyffuriau'n gwneud elw o £20 miliwn y flwyddyn i'r rhai oedd yn gwneud y cyffuriau, a swm tebyg i'r rhai oedd yn ei ddosbarthu. Ond eto, dim ond tua £1 miliwn y daeth yr heddlu o hyd iddo. Mae rhai'n credu bod gan Henry Todd a Brian Cuthbertson gelc o hyd at £2 filiwn yn cuddio yn rhywle. Does dim sôn i'r arian ddod i'r amlwg yn ystod y 30 mlynedd sydd ers hynny.

Mae rhai'n dweud bod un person wedi cael rhybudd y byddai'r heddlu'n mynd i daro. Ar y noson cynt, ychydig cyn hanner nos, roedd Smiles yn yfed yn y New Inn yn Llanddewibrefi. Daeth galwad ffôn ac o fewn eiliadau roedd wedi rhuthro allan. Roedd Smiles wedi gwneud degau o filoedd o bunnau o'r fasnach LSD. Eto, dim ond ychydig dan £9,000 oedd yn y tŷ. Aeth yr heddlu i chwilio yn yr ardd ond heb ddod o hyd i ddim.

Ond yn Llanddewibrefi, mae pobol yn siarad am y man lle mae arian wedi'i guddio. Prynodd Smiles stof llosgi coed oddi wrth Wright a Bentley, y plismyn *undercover*. Rhoddodd e'r stof yn ei gegin, tynnu'r coesau ac adeiladu llwyfan cerrig a gosod y stof ar ben y llwyfan. O leiaf, dyna'r stori.

Mae rhai'n dweud bod y stof yn llosgi pan ddaeth yr heddlu. Feddyliodd neb am ei symud. Y stori yw fod arian a stash Smiles yno, wedi'u cuddio o dan y stof. Anodd erbyn hyn yw gwahanu'r gwir oddi wrth y ffantasi. Y newyddion diweddaraf a dderbyniais i am Smiles oedd iddo gael ei weld mewn tafarn yng nghanol Llundain.

A oedd e wedi cael rhybudd? Hefyd, mae 'na stori arall ddiddorol. Roedd un o'r prif gynllwynwyr yn ffrind agos i'r Dywysoges Margaret, a hithau'n aros yn ei gartref. Y stori yw fod rhyw fandarin pwysig yn y Swyddfa Gartref, er mwyn osgoi embaras i'r Teulu Brenhinol, wedi newid y dyddiad pan fyddai *Operation Julie* yn taro hyd nes i'r dyn adael cartre'r Dywysoges. Ac wrth gwrs, fe gafodd y dyddiad ei newid fwy nag unwaith, a hynny'n plesio Dick Lee. Ond mae eraill yn dweud bod rhai wedi cael llond bol ar yr holl aros a'r newid dyddiadau a bod Smiles yn y cyfamser wedi cael gwybod ac felly wedi cael cyfle i guddio llawer o'i arian.

Gofynnwch i rai o bobl Llanddewibrefi heddiw ac fe gewch hanes am arian neu LSD sy'n dal wedi'u cuddio ar y mynydd uwchlaw'r pentref. Pwy a ŵyr? Yr hyn sy'n ffaith yw i Smiles, wedi iddo gael ei ryddhau ar fechnïaeth cyn yr achos, gael ei wylio ddydd a nos gan swyddogion cudd yn y pentref. Does dim sôn iddo fynd yn agos at ei arian na'i gyffuriau.

Mae pawb gafodd eu harestio adeg *Operation Julie* nawr yn rhydd. Ar adegau mae'r dynion papur newydd yn ceisio cysylltu â nhw. Rwy'n gwybod i bobol ddilyn hynt a helynt Richard Kemp, Christine Bott – y ddau wedi gwahanu erbyn hyn – a Mark Tcharney. Yn wir, daeth Mark Tcharney yn ôl i Aberystwyth i weithio. Mae Russell Spenceley yn dal yng Nghymru yn gweithio mewn canolfan bywyd môr. Ond er eu bod wedi ymateb yn foneddigaidd, doedd ganddyn nhw ddim diddordeb mewn siarad am yr achos. Mae Henry Todd yn rhedeg busnes offer mynydda a buodd David Solomon farw y llynedd.

Yr unig un i ddod yn ôl i'w gynefin oedd Buzz Healey. Ailgydiodd yn ei fywyd a gweithio fel adeiladydd. Yna, prynodd dafarn y Lock and Key yng Nghwm-ann, yn union ar draws y ffordd i dafarn y Ram, lle cafodd 50,000 o dabledi eu cyfnewid am £62,000. Mae Buzz yn dal i fyw yn ardal Aberystwyth, a phawb sy'n ei adnabod yn ei barchu.

Byddai'n ffwlbri dweud i'r farchnad LSD

ddod i ben gydag *Operation Julie.* Yn wir, wrth
i'r achos gychwyn ym Mryste, daeth yr heddlu
o hyd i ragor o LSD, cyflenwad newydd wedi'i
gynhyrchu yn Califfornia. Ond fe gafodd y
farchnad gyffuriau ergyd sylweddol. Mae un
ystadegyn yn dangos gymaint o lwyddiant
gafodd *Operation Julie.* Cyn i'r cynllwynwyr gael
eu harestio roedd tabled LSD yn costio £1. Wedi
Operation Julie, aeth LSD mor brin fel i'r pris godi
i £5 y tabled.

ATODIAD

Deddfau yn erbyn defnyddio LSD

America – 1967
Prydain – 1974

Gohebwyr papur newydd

Lyn Ebenezer – gohebydd ac awdur y gyfrol
Jim Price yn gweithio ar y *Daily Express*

Aelodau pwysicaf y grŵp cyffuriau

Enw	Yn dod yn wreiddiol o:	Yn byw yn:
Richard Kemp	Bedford	Penlleinau, Tregaron
Christine Bott, cariad Richard	Swydd Surrey	Penlleinau, Tregaron
Paul Joseph Arnaboldi	New Jersey, Unol Daleithiau America	Plas Llysin, Carno/Majorca
Mark Tcharney	Llundain	Esgair Wen, Cwm-ann
Hilary Rees, cariad Mark		Esgair Wen, Cwm-ann
David Solomon	America	Dim cyfeiriad sefydlog
Henry Todd	Dundee	Llundain: 148, Cannon St, 29, Fitzgeorge Ave, Olympia; 23, Seymour Rd, Hampton Wick
Michael Druce		Llundain/ Hampshire
Ronald Craze		Llundain/ Swydd Hertford
Brian Cuthbertson	Llundain	
Martin William Annable		

Y gwerthwyr cyffuriau

Enw	Yn dod yn wreiddiol o:	Byw yn:
Russell Spenceley	Chatham	Maesycrugiau
Alston Frederick Hughes (Smiles)	Birmingham	Y Glyn, Llanddewibrefi
Paul Healy (Buzz) gyrrwr Smiles (canabis yn ei feddiant)		Llanddewibrefi
John McDonnell a William Lochhead, cyfrifoldeb am y farchnad gyffuriau yn y Channel Islands a Glasgow.		Hankerton, Wiltshire
Douglas John Flanagan	New King's Road, Llundain	
David Litvinoff	Llundain	Cefn Bedd, Llanddewibrefi

America

Dr Timothy Leary, proffwyd Brawdoliaeth y Cariad Tragwyddol (*Brotherhood of Eternal Love)*

Gerry Thomas, un o'r dosbarthwyr gafodd ei ddal yn Montreal

Ronald Hadley Stark, cymeriad dirgel y credir iddo fod yn aelod o'r CIA. Fe'i carcharwyd yn Bologna, yr Eidal

Cemegwyr

Richard Kemp

David Solomon

Brian Cuthbertson, cemegydd Henry Todd

Ronald Stark

Yr Heddlu sy'n berthnasol i'r gyfrol

Ditectif Dick Lee, Pennaeth yr Adran Gyffuriau.

Ditectif Martyn Pritchard

Ditectif Richie Parry, Heddlu Dyfed Powys

Ditectif Dai Rees, Heddlu Dyfed Powys, Cymro

Dave Redrup o Heddlu De Cymru, Cymro Cymraeg

Neville Dunnett, arbenigwr fforensig

Ditectif Noir Bowen, Heddlu Dyfed Powys

Ditectif Eric Wright, Heddlu Avon and Somerset

Ditectif Steve Bentley, Heddlu Hampshire,
Ditectif Glenice Garlick, Heddlu Thames Valley

Y Byd Pop oedd â chysylltiad ag ardal Tregaron

Lloegr
Mick Jagger ac aelodau'r Rolling Stones
Brian Jones (cyn-aelod o'r Rolling Stones)
Eric Clapton

America
Bob Dylan
Jimi Hendrix

Am restr gyflawn o lyfrau'r Lolfa,
mynnwch gopi o'n Catalog newydd, rhad
– neu hwyliwch i mewn i'n gwefan

www.ylolfa.com

i chwilio ac archebu ar-lein.

y|Lolfa

TALYBONT CEREDIGION CYMRU SY24 5AP
e-bost ylolfa@ylolfa.com
gwefan www.ylolfa.com
ffôn (01970) 832 304
ffacs 832 782

Words Talk-Numbers Count
Geiriau'n Galw-Rhifau'n Cyfri

Noddir gan
Lywodraeth
Cynulliad Cymru

CYNGOR LLYFRAU CYMRU